D1498713

PARIS

Libre Expression

Une société de Québecor Média

Sommaire

Gauche **Pyramide du Louvre** Droite **Crypte voûtée, Sacré-Cœur**

Libre Expression

Une société de Québecor Média

DIRECTION
Nathalie Pujo

DIRECTION ÉDITORIALE
Cécile Petiau

RESPONSABLE DE COLLECTION
Catherine Laussucq

ÉDITION
Émilie Lézénès et Adam Stambul

TRADUIT ET ADAPTÉ DE L'ANGLAIS PAR
Marianne Bouvier, Jean-Yves Cotté
avec la collaboration d'Isabelle Guilhamon

MISE EN PAGES (PAO)
Anne-Marie Le Fur

www.dk.com

Ce guide Top 10 a été établi par
Mike Gerrard et Donna Dailey

Publié pour la première fois en Grande-
Bretagne en 2002 sous le titre : *Eyewitness
Top 10 Travel Guides : Top 10 Paris*
© Dorling Kindersley Limited, Londres 2011
© Hachette Livre (Hachette Tourisme) 2013
pour la traduction et l'édition françaises

© Éditions Libre Expression, 2013
pour l'édition française au Canada

Tous droits de traduction, d'adaptation
et de reproduction réservés pour tous pays.

IMPRIMÉ ET RELIÉ EN CHINE

Les Éditions Libre Expression
Groupe Librex inc.
Une société de Québecor Média
La Tourelle
1055, boul. René-Lévesque Est, Bureau 800
Montréal (Québec) H2L 4S5
www.edlibreexpression.com

DÉPÔT LÉGAL : Bibliothèque et Archives
nationales du Québec et Bibliothèque et
Archives Canada, 2013

ISBN 978-2-7648-0831-3

Sommaire

Paris Top 10

Paris thème par thème

Aussi soigneusement qu'il ait été établi, ce guide n'est pas à l'abri des changements de dernière heure. Faites-nous part de vos remarques, informez-nous de vos découvertes personnelles: nous accordons la plus grande attention au courrier de nos lecteurs.

Abréviations : EP Entrée payante **EG** Entrée gratuite
C Climatisation **PC** Pas de climatisation **vis. guid.** visite guidée

Gauche **Rosace, Notre-Dame** Droite **Écoinçons sculptés, Arc de Triomphe**

Gauche **Bois de Boulogne** Droite **Montmartre**

 Abréviations : j.f. *jour férié* **t.l.j.** *tous les jours* **AH** *Accès handicapés* **PAH** *Pas d'accès handicapés*

PARIS
TOP 10

TOP 10 À ne pas manquer à Paris

De Notre-Dame à la tour Eiffel, les monuments de la Ville lumière comptent parmi les plus célèbres du monde. À l'exception du centre Pompidou, typiquement moderne, les dix édifices présentés ici symbolisent depuis plusieurs siècles l'élégance et le romantisme de la capitale. À la première visite comme à la centième, vous serez toujours aussi émerveillé.

1 Musée du Louvre

L'un des plus grands musées du monde renferme les plus fameuses collections d'art et d'antiquités (jusqu'à 1848). Il fut autrefois le plus vaste palais royal de France *(p. 8-11)*.

2 Musée d'Orsay

Ancienne gare remarquablement transformée en l'un des musées d'art les plus renommés du monde *(ci-dessus)*, il justifie à lui seul un séjour à Paris *(p. 12-15)*.

3 Tour Eiffel

Six millions de visiteurs gravissent chaque année cet emblème de la capitale pour admirer le panorama. La tour a été érigée pour l'Exposition universelle de 1889 *(p. 16-17)*.

4 Notre-Dame

Chef-d'œuvre gothique, cette splendide cathédrale, achevée en 1334, a été édifiée sur le site d'un ancien temple gallo-romain. Son histoire est intimement liée à celle de Paris *(p. 18-21)*.

5 Sacré-Cœur
À Montmartre, le parvis de cette imposante basilique au dôme blanc offre l'une des plus belles vues dégagées sur Paris *(p. 22-23)*.

6 Arc de Triomphe
Érigé afin de célébrer les victoires des armées napoléoniennes, il se dresse fièrement en haut des Champs-Élysées. Il constitue, avec la tour Eiffel, l'un des symboles de Paris *(p. 24-25)*.

e de *artre* **5**

Montmartre

Les Halles **1**

Île de la Cité **9**

Île St-Louis **4**

Marais

Belleville

7

Quartier latin **8**

Jardin du Luxembourg

Jardin des plantes

0 ⊢ km ⊣ 1

Principales rues du plan : BOULEVARD DE CLICHY, BOULEVARD DE ROCHECHOUART, RUE LA FAYETTE, RUE DU FAUBOURG ST-MARTIN, BD DE STRASBOURG, BD DE MAGENTA, BD MONTMARTRE POISSONNIÈRE, RUE RÉAUMUR, RUE DE TURBIGO, BD ST-MARTIN PLACE DE LA RÉPUBLIQUE, BD DE LA VILLETTE, BD DE LA RÉPUBLIQUE, BOULEVARD VOLTAIRE, QUAI DU LOUVRE, RIVOLI, QUAI DE L'HÔTEL DE VILLE, BD BEAUMARCHAIS, PLACE DE LA BASTILLE, BD HENRI IV, BD DE LA BASTILLE, BOULEVARD SAINT-MICHEL, RUE ST-GERMAIN, QUAI ST-BERNARD, AV. LEDRU ROLLIN, Seine

7 Centre Georges-Pompidou
Abritant notamment le musée national d'Art moderne, cet édifice est un chef-d'œuvre d'art contemporain. Le centre a aussi une bibliothèque bien fournie. *(p. 26-27)*.

8 Panthéon
Ce sanctuaire *(ci-dessus)* abrite les sépultures des grands hommes de France, dont Voltaire et Victor Hugo *(p. 28-29)*.

9 Sainte-Chapelle
Ce splendide édifice médiéval *(à gauche)* fut construit pour recueillir les reliques rapportées par Saint Louis de ses nombreuses croisades *(p. 30-31)*.

10 Invalides
Au-dessus des toits, vous ne pourrez pas manquer le dôme doré *(ci-contre)* de l'église Saint-Louis-des-Invalides *(p. 32-33)*.

🔟 Musée du Louvre

Le Louvre, un des plus grands musées du monde, renferme quelque 35 000 objets d'une valeur inestimable. Construit comme une forteresse par Philippe Auguste en 1190, il fut transformé en résidence royale par Charles V (1364-1380). Au XVIe siècle, François Ier le remplaça par un palais Renaissance et fonda la collection royale avec douze tableaux pillés en Italie. En 1793, les révolutionnaires ouvrirent la collection au public. Napoléon rénova le palais pour en faire un musée.

Façade du musée du Louvre

🔵 **Dans l'aile Richelieu, le Café Marly offre une superbe vue sur la pyramide et des plats savoureux. Vous pouvez aussi essayer le Grand Louvre sous la pyramide ou la restauration rapide dans la galerie du Carrousel.**

🔶 **Évitez l'attente en prenant vos billets sur Internet ou aux bornes à l'entrée de la porte des Lions, à l'extrémité ouest de l'aile Denon (sauf le vendredi).**

- 34, quai du Louvre, 75001 • plan L2
- 01 40 20 53 17
- ouv. lun., jeu., sam., dim. 9h-18h ; mer., ven. 9h-21h45
- ferm. mar., 1er janv., 1er mai, 25 déc.
- www.louvre.fr
- EP 10 € ; EG 1er dim. du mois, 14 juil., - 18 ans (tous), - 26 ans (UE seul.) • AH partiel.

Les chefs-d'œuvres

1. *La Vénus de Milo*
2. *La Joconde*
3. Pyramide
4. *Les Chevaux de Marly*
5. *Le Radeau de la Méduse*
6. *La Victoire de Samothrace*
7. *La Dentellière*
8. *Les Esclaves*
9. Fossés médiévaux
10. Colonnade de Perrault

1 La Vénus de Milo

Au fond d'un hall, l'éclairage met en valeur la beauté de cette statue. Datant de la fin du IIe s. av. J.-C., cette sculpture a été découverte en 1820 sur l'île grecque de Milos.

2 La Joconde

Avec son sourire énigmatique, le portrait de Mona Lisa par Léonard de Vinci (p. 11), restauré, est la peinture la plus célèbre du monde. Aussi, pour l'admirer sereinement, est-il préférable de venir tôt le matin ou le soir.

3 Pyramide

Principale entrée du musée depuis 1989, l'édifice en verre à structure d'acier, dessiné par l'architecte I. M. Pei, mesure 21 m de haut *(ci-dessous)*.

4 Chevaux de Marly

Les chevaux cabrés furent sculptés par Coustou en 1745 pour le château de Marly. Des copies les ont remplacés à l'entrée des Champs-Élysées.

5 Le Radeau de la Méduse

En 1819, un naufrage survenu trois ans plus tôt inspira à Géricault (1791-1824) cette œuvre romantique *(ci-contre)*. Elle montre l'instant où les survivants aperçoivent une voile à l'horizon.

6 La Victoire de Samothrace

Figure de proue dégageant grâce et puissance, ce chef-d'œuvre hellénistique (IIIe-IIe s. av. J.-C.) commémorait une victoire navale.

8 Les Esclaves

Michel-Ange sculpta ces deux esclaves (1513-1520) pour le mausolée du pape Jules II à Rome. Les personnages inachevés semblent émerger de leurs « prisons » de pierre.

9 Fossés médiévaux

Les restes de la forteresse médiévale : la base des tours ainsi que la pile du pont-levis furent mis au jour dans les années 1980.

10 Colonnade de Perrault

Située à l'est, la majestueuse façade *(ci-dessous)* de Perrault (1613-1688) appartenait à l'extension commandée par Louis XIV.

7 La Dentellière

Pièce maîtresse de la collection de peinture hollandaise, ce chef-d'œuvre de Jan Vermeer, peint vers 1665, témoigne avec simplicité de la vie quotidienne de l'époque *(ci-dessous)*.

Suivez le guide

L'entrée est sous la pyramide. Muni de vos billets, vous accédez au musée par ici ou par le passage Richelieu, rue de Rivoli. Vous pouvez aussi acheter vos billets à l'entrée du Carrousel du Louvre (99, rue de Rivoli) et à la porte des Lions. La peinture et la sculpture sont présentées par pays d'origine. Des départements distincts sont consacrés aux objets d'art, antiquités et arts graphiques. Les expositions temporaires, l'art contemporain et l'art tribal sont à voir.

Légende

- Rez-de-chaussée
- Premier étage
- Deuxième étage

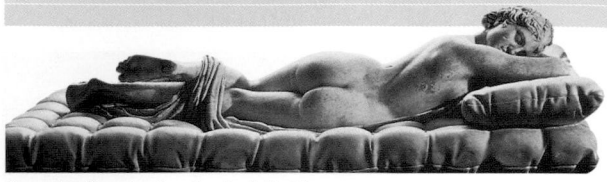

Hermaphrodite endormi, section des Antiquités grecques

🔟 Collections du Louvre

1 Peinture française

Cette magnifique collection comprend des œuvres du XIVe s. à la moitié du XIXe s., avec des artistes comme Watteau, La Tour et Fragonard.

2 Sculpture française

Les pièces majeures sont le tombeau de Philippe Pot par Antoine le Moiturier, les *Chevaux de Marly* (p. 8) et des œuvres de Pierre Puget.

3 Antiquités égyptiennes

C'est la plus belle collection d'antiquités égyptiennes après Le Caire : sarcophages, momies d'animaux, objets funéraires et bas-reliefs illustrant la vie quotidienne en Égypte.

4 Antiquités grecques

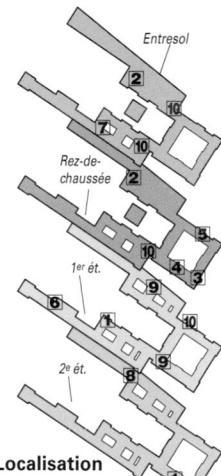

Akhénaton et Néfertiti, Égypte

Cette section se compose d'idoles cycladiques du IIIe millénaire avant J.-C., de trésors de l'époque hellénistique (fin IIIe et IIe s. av. J.-C.) et de marbres de la période classique.

Entresol

Rez-de-chaussée

1er ét.

2e ét.

Localisation des collections

5 Antiquités orientales

On y voit l'entrée d'un palais assyrien et le Code de Hammourabi (vers 1760 av. J.-C.), premières lois de l'humanité.

6 Peinture italienne

Amateurs d'art italien, les rois de France rassemblèrent la majeure partie de cette importante collection de peintures (1200-1800), dont *La Joconde* de Léonard de Vinci.

7 Sculpture italienne

Cette collection débutant à la Renaissance comprend, entre autres, *La Vierge à l'Enfant* de Donatello et *Les Esclaves* de Michel-Ange (p. 9).

8 Peinture hollandaise

Les Rembrandt occupent la place d'honneur, à côté des scènes domestiques de Vermeer et des portraits de Frans Hals.

9 Objets d'art

Céramiques et bijoux de divers siècles et pays.

10 Arts de l'islam

Cette superbe collection de 2 000 objets, du VIIe s. à nos jours, a été inauguré en 2012 dans la cour Visconti.

Autres musées parisiens p. 34-35

Les hôtes célèbres du Louvre

Léonard de Vinci et *La Joconde*

La Joconde, portrait énigmatique peint par Léonard de Vinci

Léonard de Vinci
Illustre personnage de la Renaissance, il fut à la fois sculpteur, artiste, ingénieur, architecte et scientifique. Il étudia notamment l'anatomie et l'aérodynamique.

Né à Vinci en Italie dans une famille aisée, Léonard de Vinci (1452-1519) fait d'abord son apprentissage dans l'atelier de l'artiste florentin Andrea del Verrochio. Il sert ensuite le duc de Milan en tant qu'architecte et ingénieur militaire. Pendant cette période, il peint La Cène (1495). De retour à Florence pour travailler comme architecte au service de César Borgia, il réalise le célèbre portrait de Mona Lisa (1503-1506), connu sous le nom de La Joconde, d'après le nom de l'aristocratique époux du modèle. Ce chef-d'œuvre – et notamment le sourire mystérieux de la jeune femme – reflète la maîtrise de deux techniques : le clair-obscur, contraste de lumière et d'ombre, et le sfumato, subtile transition entre les couleurs. C'était l'œuvre préférée du peintre et celui-ci l'emportait partout où il se déplaçait. En 1516, François Ier invita Léonard de Vinci en France, lui laissant la jouissance du manoir du Clos Lucé, près d'Amboise, où l'artiste mourut trois ans après.

🔟 Musée d'Orsay

Ses collections présentent un vaste éventail de créations artistiques portant sur la période de 1848 à 1914, avec une superbe section consacrée aux impressionnistes. Le lieu est également remarquable – cette ancienne gare fut construite en 1900 à l'occasion de l'Exposition universelle, mais cessa toute activité dès 1939. Elle servit ensuite de théâtre, de salle des ventes et même de lieu de tournage pour Le Procès d'Orson Welles en 1962. Elle faillit être rasée en 1970. En 1977, les autorités décidèrent de transformer l'imposant édifice en musée.

Façade du musée d'Orsay

🍴 Vous pouvez déjeuner ou dîner (le jeudi) au restaurant du musée. Pour boire un verre ou manger rapidement, allez plutôt au Café des Hauteurs ou au Café de la mezzanine, juste au-dessus.

🎵 Des concerts sont organisés régulièrement. Appelez le 01 40 49 47 50.

• 1, rue de la Légion-d'Honneur, 75007
• plan J2
• 01 40 49 48 14
• ouv. mar.-dim. 9h30-18h (jeu. 21h45)
• ferm. lun., 1er janv., 1er mai, 25 déc.
• www.musee-orsay.fr
• EP 9 € ; 6,50 € à partir de 16h30 (18h jeu.) ; EG 1er dim. du mois, - 18 ans, 18-25 ans UE
• les billets peuvent être achetés en ligne

À ne pas manquer

1. Bâtiment
2. Peintures de Van Gogh
3. *Le Déjeuner sur l'herbe*
4. *Olympia*
5. *Nymphéas bleus*
6. *Danseuses de Degas*
7. *Jane Avril dansant*
8. *Bal au Moulin de la Galette*
9. *La Belle Angèle*
10. *Café des Hauteurs*

1 Bâtiment

Cette ancienne gare, à la splendide façade en pierre, est presque aussi remarquable que les œuvres qui y sont exposées. La luminosité et l'impression d'espace sont étonnants.

2 Peintures de Van Gogh

Parmi les toiles de Vincent Van Gogh (1853-1890) exposées ici, la plus marquante est *La Chambre à Arles* de 1889 *(ci-dessous)*. On trouve également des autoportraits, peints avec l'intensité propre au célèbre artiste (niveau médian).

3 Le Déjeuner sur l'herbe

Ce tableau d'Édouard Manet (1832-1883) fut d'abord exposé au Salon des refusés. Ce nu classique de femme en compagnie de deux hommes en costume *(ci-dessous)* s'attira de virulentes critiques (galerie Seine).

Autres musées parisiens p. 34-35

4 Olympia
Cet autre Manet – une courtisane nue recevant des fleurs – fit aussi scandale auprès du public et de la critique en 1865. Cependant, il eut une grande influence sur les artistes de l'époque (salle 14).

6 Danseuses de Degas
La *Petite Danseuse de quatorze ans* (1881), sculpture d'Edgar Degas (1834-1917), est la seule à avoir été exposée du vivant de l'artiste (niveau supérieur). Le musée possède une collection exceptionnelle de sculptures de Degas, des plus innocentes aux plus érotiques.

7 Jane Avril dansant
Toulouse-Lautrec (1864-1901) décrivit le Paris de la Belle Époque. Jane Avril, célèbre danseuse au Moulin Rouge, apparaît dans plusieurs de ses toiles, dont celle-ci réalisée vers 1892 (salle 47). Le peintre a su saisir le dynamisme du jeu de jambes de la danseuse.

9 La Belle Angèle
Ce portrait d'une Bretonne (1889) révèle l'influence de l'art japonais sur Gauguin (1848-1903). L'artiste le vendit à Degas pour financer son voyage en Polynésie (salle 43).

10 Café des Hauteurs
Pour se reposer entre deux salles, ce café, rénové comme le reste du musée par les frères Campana, est situé derrière l'une des deux horloges monumentales de l'ancienne gare. Vous y ferez une pause inoubliable.

5 Nymphéas bleus
Claude Monet (1840-1926) peignit ce tableau *(ci-dessous)* entre 1916 et 1919. Sa passion pour les nénuphars l'amena à créer à Giverny un jardin exotique avec un étang afin de pouvoir les peindre dans leur cadre naturel. Ce travail inspira de nombreux peintres abstraits au cours du XXe s. (salle 34).

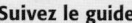

8 Bal du Moulin de la Galette
Empreint de l'exubérance de Renoir (1841-1919), ce tableau impressionniste *(p. 15)*, parmi les plus connus, saisit de manière admirable l'ambiance vivante et populaire de Montmartre (niveau médian). Montré à l'exposition du groupe des impressionnistes de 1877, il fut mal reçu par les critiques de l'époque.

Suivez le guide

Le rez-de-chaussée comprend les œuvres de la première moitié du XIXe s., ainsi que les œuvres orientalistes, les arts décoratifs et une librairie. Le niveau médian est consacré au naturalisme et au symbolisme, ainsi qu'à la sculpture. Quant au niveau supérieur, il abrite les toiles les plus célèbres de la collection. Les importants travaux de rénovation effectués en 2011 ont pu entraîner le déplacement de quelques œuvres.

Autres musées d'art p. **36-37**

Gauche *Danseuses bleues* (1890), Degas Droite *La Belle Angèle* (1889), Gauguin

🔟 Collections du musée d'Orsay

Les impressionnistes
C'est l'une des plus belles collections du monde. Les admirateurs de Manet, Monet et Renoir ne seront pas déçus.

Les postimpressionnistes
Les artistes passés à une nouvelle interprétation de l'impressionnisme sont également bien représentés avec Matisse, Toulouse-Lautrec et, bien sûr, Van Gogh.

L'école de Pont-Aven
Paul Gauguin *(p. 13)* fut à l'origine de ce groupe d'artistes lié à Pont-Aven en Bretagne. Vous verrez notamment la *Maison du Jouir* (1901), superbes panneaux de porte sculptés.

L'Art nouveau
Ce style est très représenté à Paris, tout particulièrement avec les entrées du métro. Il est également illustré par des réalisations de René-Jules Lalique (1860-1945).

Le symbolisme
Cette vaste collection comprend des œuvres de Gustav Klimt (1862-1918), d'Edvard Munch (1863-1944) et de James Whistler (1834-1903).

Le romantisme
Ce courant voulait accroître la conscience du monde spirituel. La *Chasse au tigre* (1854) de Delacroix (1798-1863) est une œuvre majeure.

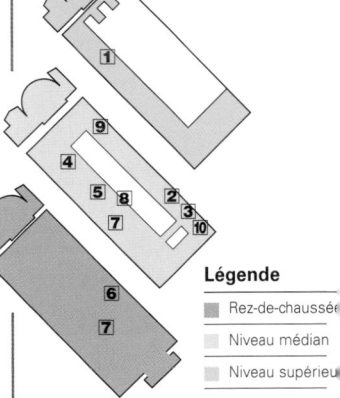

Localisation des collections

Légende
- Rez-de-chaussée
- Niveau médian
- Niveau supérieur

La sculpture
Des pièces de Rodin *(p. 111-112)* sont exposées, ainsi que les satires de politiciens d'Honoré Daumier (1808-1879).

Le naturalisme
Les naturalistes reproduisirent la nature avec intensité, comme Jules Bastien-Lepage (1848-1884) dans *Les Foins* (1877).

Les nabis
Avec Pierre Bonnard (1867-1947), entre autres, ce mouvement appréhenda l'art sous un angle plus décoratif.

La photographie
Quelque 10 000 clichés comprennent des œuvres de Bonnard, Degas et Julia Margaret Cameron (1815-1879).

Impressionnistes célèbres

1. Claude Monet (1840-1926)
2. Édouard Manet (1832-1883)
3. Auguste Renoir (1841-1919)
4. Edgar Degas (1834-1917)
5. Camille Pissarro (1830-1903)
6. Alfred Sisley (1839-1899)
7. James Whistler (1834-1903)
8. Walter Sickert (1860-1942)
9. Mary Cassatt (1844-1926)
10. Berthe Morisot (1841-1895)

Les prix des toiles impressionnistes servent de baromètre au marché de l'art mondial. En 2008, un des *Nymphéas* peint par Monet a été vendu 80 millions de dollars.

Le mouvement impressionniste

Considéré comme étant à l'origine de l'art moderne, l'impressionnisme est le mouvement artistique le mieux connu et le plus apprécié du monde, si l'on en juge par les prix atteints aux enchères et par le nombre de visiteurs du musée d'Orsay. Ce courant prit naissance en France, et la plupart de ses maîtres

Cathédrale de Rouen (1892-1893), Claude Monet

*furent français, y compris le Britannique Alfred Sisley, né à Paris. L'impressionnisme apparut en réaction au formalisme et au classicisme imposés par l'Académie des beaux-arts – laquelle décidait des œuvres autorisées à être exposées au Salon de Paris. Le mot « impressionnisme » fut introduit par un de ses détracteurs, dans sa critique de l'*Impression, soleil levant *(1873)* de Monet. Les membres du mouvement adoptèrent alors eux-mêmes ce terme. Des peintres comme Van Gogh s'imprégnèrent de ce style, qui continua à influencer l'art des xixe et xxe s.*

Bal du Moulin de la galette (1876), Renoir

⑩ Tour Eiffel

Aujourd'hui symbole de Paris, la tour de l'ingénieur Gustave Eiffel fut vivement critiquée lors de sa construction en 1889, à l'occasion de l'Exposition universelle. Cependant, sa gracieuse silhouette lui valut rapidement une immense notoriété. Avec ses 324 m, elle fut l'édifice le plus haut du monde jusqu'à ce que l'Empire State Building soit érigé à New York en 1931. Malgré sa frêle apparence, elle pèse 10 100 t et sa structure est si robuste que par vent fort son sommet ne s'écarte pas de plus de 9 cm de sa position initiale.

La tour Eiffel depuis le Trocadéro

À ne pas manquer

1. Galerie panoramique
2. Dentelle métallique
3. Illumination
4. Vue depuis le Trocadéro
5. Cineiffel
6. 1er étage
7. 2e étage
8. Ascenseur hydraulique
9. Buste de Gustave Eiffel
10. Champ-de-Mars

🍽 Des restaurants et des bars se trouvent aux 1er et 2e niveaux, et des vendeurs de sandwichs au pied de la tour.

📞 Réservez vos billets par téléphone ou sur Internet.

• Champ-de-Mars, 75007 • plan B4 • 01 44 11 23 23 • ascenseur ouv. 15 juin-31 août : t.l.j. 9h-0h45 (dern. accès minuit) ; le reste de l'année : t.l.j. 9h30-23h45 (dern. accès 23h) ; escalier 15 juin-31 août : t.l.j. 9h-0h45 (dern. accès minuit) ; le reste de l'année : t.l.j. 9h30-18h30 (dern. accès 18h) • www.tour-eiffel.fr • EP 5 € (escaliers) ; 8,50 € à 14 € (ascenseur)• AH 1er et 2e étages seul.

Galerie panoramique
À 276 m d'altitude, la vue depuis le 3e étage est exceptionnelle. Par temps clair, elle peut porter jusqu'à 80 km. Il est également possible de visiter le bureau qu'occupait Gustave Eiffel.

Dentelle métallique
La structure complexe des poutrelles assure la stabilité de la tour face au vent. Les 18 000 pièces métalliques peuvent se dilater de 15 cm par temps chaud.

6 1er étage

Vous pouvez gravir les 360 marches (57 m), apprécier un repas simple mais savoureux au 58 Tour Eiffel ou découvrir l'histoire et les grands moments de la tour au Cineiffel *(ci-dessous)*.

7 2e étage

À 116 m du sol, Le Jules Verne est l'un des restaurants les plus réputés de la capitale, pour sa gastronomie et sa vue panoramique *(p. 117)*. Il est desservi par un ascenseur particulier.

8 Ascenseur hydraulique

Les machineries de 1899, toujours en service, parcourent quelque 103 000 km par an. Le gardien en uniforme accroché à l'extérieur est un mannequin.

9 Buste de Gustave Eiffel

Le buste du créateur de la tour, sculpté par Antoine Bourdelle, fut placé en 1929 sous sa remarquable invention, près du pilier nord.

3 Illumination

La nuit, son éclairage de 200 000 watts fait de la tour l'édifice le plus spectaculaire de Paris. Elle scintille pendant 5 min toutes les heures, du crépuscule à 1 h.

4 Vue depuis le Trocadéro

L'esplanade du Trocadéro *(p. 136)* – point de vue le plus dégagé de Paris, de l'autre côté de la Seine – est l'endroit rêvé pour découvrir la tour, de jour comme de nuit.

5 Cineiffel

Au 1er étage, cette petite exposition propose un film sur l'histoire de la tour, citant par exemple les visiteurs célèbres du monument, de Guillaume Apollinaire à Charlie Chaplin.

Caricature de Gustave Eiffel avec sa tour

La vie de Gustave Eiffel

L'ingénieur Gustave Eiffel (1832-1923) se fit connaître en construisant des ponts et viaducs en acier. Il était réputé pour la finesse de son dessin et sa maîtrise de la construction métallique. Il prétendit un jour que la célèbre tour avait été « en quelque sorte moulée par le vent lui-même ». Gustave Eiffel reçut la Légion d'honneur en 1889. Il se consacra ensuite à l'étude de l'aérodynamique. Jusqu'à sa mort, il conserva un bureau en haut de la tour afin de procéder à ses expériences.

10 Champ-de-Mars

Jadis champ de manœuvre, ce jardin tout en longueur *(ci-contre)* s'étend du pied de la tour jusqu'à l'École militaire.

🔟 Notre-Dame

Centre spirituel de la France, Notre-Dame se dresse, majestueuse, sur l'île de la Cité. Une fois la première pierre posée par le pape Alexandre III en 1163, la réalisation du magnifique projet de l'évêque Maurice de Sully dura 170 ans. Après avoir subi diverses mutilations de la fin du XVIIᵉ siècle jusqu'à la Révolution, ce chef-d'œuvre de l'art gothique fut restauré de 1841 à 1864 par l'architecte Viollet-le-Duc. La cathédrale abrite le plus grand orgue français.

Arcs-boutants
Les spectaculaires arcs-boutants supportant la façade est de la cathédrale sont dus à Jean Ravy. On en a la meilleure vue de la place Jean-XXIII.

Notre-Dame vue depuis la Seine

Les rues derrière la cathédrale comptent de nombreux cafés.

Audition d'orgue gratuite chaque dimanche à 16 h 30.

• Pl. Jean-Paul-II, parvis Notre-Dame, 75004 • plan N4 • 01 42 34 56 10 (cathédrale) • 01 53 10 07 00 (tours) • ouv. : cathédrale t.l.j. 8h-18h45 (jusqu'à 19h15 sam.-dim.) ; tours avr.-sept. : t.l.j. 10h-18h30 (juil.-août : ven.-sam. jusqu'à 23h) ; oct.-mars : t.l.j. 10h-17h30 • EP (tours seul.) 8,5 € (5,5 € 18-25 ans) ; EG - 18 ans et - 26 ans (UE).

À ne pas manquer

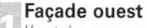

1. Façade ouest
2. Portail de la Vierge
3. Arcs-boutants
4. Tours
5. Galerie des Chimères
6. Flèche
7. Rosaces
8. Statue de la Vierge
9. Stalles du chœur
10. Trésor

Façade ouest
L'entrée comprend trois portails remarquables, sculptés au Moyen Âge *(à droite)*. Ils représentent des scènes bibliques : la vie de la Vierge, le Jugement dernier et la vie de sainte Anne. Au-dessus se trouve la galerie des Rois de Juda et d'Israël.

Portail de la Vierge
Sculpté dans la pierre au XIIIᵉ s., le magnifique tympan *(à gauche)* illustre la résurrection et le couronnement de la Vierge Marie. La Vierge à l'Enfant qui orne le trumeau est une reproduction moderne.

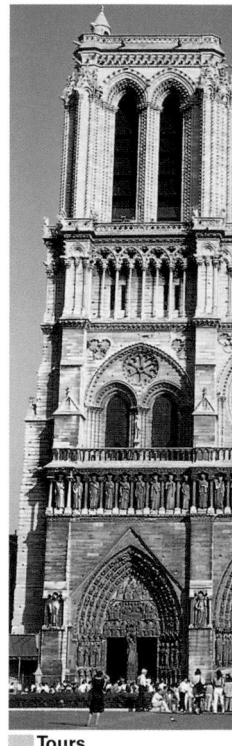

Tours
Il faut gravir 387 marches pour découvrir une vue unique sur Paris depuis la tour sud. Cette dernière abrite un bourdon de 13 t, installé en 1686 et surnommé *Emmanuel*.

Autres églises de Paris p. 40-41

5 Galerie des Chimères

Sur la galerie reliant les deux tours, les fameuses gargouilles de Viollet-le-Duc éloignent le Diable.

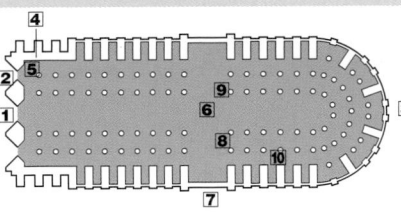

Plan de la cathédrale

7 Rosaces

Trois grandes roses ornent les façades nord, sud et ouest. Seule la première *(ci-dessous)* a conservé ses vitraux du XIIIe s., représentant les grands prêtres, les juges, les rois de l'Ancien Testament et les prophètes entourant la Vierge.

8 Statue de la Vierge

Connue sous le nom de *Notre-Dame de Paris*, cette superbe statue du XIVe s. proviendrait de la chapelle Saint-Aignan. Installée par Viollet-le-Duc, elle est située contre le pilier sud-est du transept, à l'entrée du chœur.

9 Stalles du chœur

Plus de la moitié des stalles commandées par Louis XIV subsistent encore. Une partie des 78 boiseries finement sculptées figurent la vie de la Vierge.

10 Trésor

La sacristie renferme manuscrits anciens, reliquaires et ornements sacerdotaux. La Sainte Couronne d'épines est visible le premier vendredi de chaque mois.

Suivez le guide

L'entrée se fait par la façade ouest. Les escaliers menant aux tours se trouvent à l'extérieur, sur votre gauche. Devant vous, la nef centrale est haute de 35 m. Bordant les bas-côtés et l'abside, 24 chapelles abritent les « mays », peintures offertes chaque 1er mai par les orfèvres parisiens aux XVIIe et XVIIIe s. Du transept, vous pourrez admirer les trois rosaces. Les restes de l'ancienne clôture du chœur, face aux trois premières travées, datent du XIVe s. Derrière le maître-autel, la *Pietà* de Nicolas Coustou est placée entre les statues de Louis XIII de Guillaume Coustou, et de Louis XIV d'Antoine Coysevox.

6 Flèche

Haute de 96 m, elle a été rétablie par Viollet-le-Duc. À sa base, une statue aux traits de l'architecte côtoie celles des apôtres.

Gauche **Jeanne d'Arc** Centre **L'impératrice Joséphine** Droite **Napoléon**

Visiteurs célèbres

1 Jeanne d'Arc
L'héroïne (1412-1431), qui avait libéré le royaume de l'envahisseur anglais, fut jugée ici à titre posthume en 1455, alors qu'elle avait été menée au bûcher 24 ans plus tôt. Lors de ce nouveau procès, on déclara Jeanne d'Arc non coupable d'hérésie.

2 François II et Marie Stuart
Marie Stuart (1542-1587), reine des Écossais, grandit en France et épousa le Dauphin en 1558. Lors de son accession au trône en 1559, François II fut couronné à Notre-Dame avec son épouse.

3 Napoléon
Lorsqu'il fut sacré empereur en 1804 à Notre-Dame, Napoléon (1769-1821) saisit lui-même la couronne des mains du pape Pie VII pour la poser sur sa tête et faire de Joséphine l'impératrice.

4 Joséphine de Beauharnais
Joséphine (1763-1814) ne fut impératrice que pendant cinq ans, car Napoléon demanda le divorce en 1809.

5 Pie VII
Le pape Pie VII (1742-1823), qui avait sacré Napoléon à Notre-Dame, fut arrêté en 1809 lorsque l'Empereur prononça l'annexion des États pontificaux. Il fut emprisonné un temps à Fontainebleau, au sud de Paris.

6 Philippe le Bel
En 1302, Philippe IV dit « le Bel » (1268-1314) convoqua les premiers états généraux à Notre-Dame. Le souverain accrut considérablement l'emprise du pouvoir monarchique.

7 Henri VI d'Angleterre
Henri VI (1421-1471) devint roi d'Angleterre avant l'âge d'un an. Il invoqua ses droits et fut sacré roi de France à Notre-Dame en 1430.

8 Marguerite de Valois
Lors de son mariage à Notre-Dame avec le futur Henri IV (1553-1610) en 1572, Marguerite (1553-1615), sœur de Charles IX, se tint dans le chœur tandis que son époux, protestant, restait hors de l'église.

9 Henri de Navarre
Henri étant protestant, son mariage avec Marguerite la Catholique provoqua le massacre de la Saint-Barthélemy. Devenu le roi Henri IV en 1589, il se convertit au catholicisme en 1593 et aurait déclaré : « Paris vaut bien une messe. »

10 Charles de Gaulle
Le 26 août 1944, après la triomphale descente des Champs-Élysées fêtant la libération de Paris, le général de Gaulle se rendit à Notre-Dame pour une célébration solennelle, alors que des coups de feu se faisaient encore entendre.

Autres événements historiques à Paris p. 44-45

L'homme qui sauva Notre-Dame

Victor Hugo

Lorsque Victor Hugo publia son roman Notre-Dame de Paris en 1831, la cathédrale était dans un état de délabrement avancé. Lors de cérémonies officielles telles que le couronnement de Napoléon, on cachait les détériorations par des tentures. Pendant la Révolution, l'édifice avait même été vendu à un ferrailleur. Heureusement, il échappa à la démolition. L'écrivain, décidé à sauver le cœur spirituel du pays, suscita une campagne en faveur de la restauration de Notre-Dame avant qu'il ne fût trop tard. Eugène Emmanuel Viollet-le-Duc (1814-1879) fut chargé de concevoir et de superviser cette restauration. Architecte né à Paris, il était déjà connu pour ses talents de restaurateur, dont il avait fait preuve notamment pour la basilique de Vézelay et la Sainte-Chapelle (p. 30-31). Amorcé en 1841, le sauvetage de Notre-Dame dura 23 ans. Le résultat obtenu fut à peu près celui que nous pouvons voir à l'heure actuelle. Par la suite, Viollet-le-Duc restaura aussi la cathédrale d'Amiens et les remparts de la cité de Carcassonne.

Notre-Dame de Paris
Le roman de Victor Hugo (1831) raconte l'amour de Quasimodo, le sonneur bossu de Notre-Dame, pour Esméralda, la gitane.

Autres romans situés à Paris **p. 46-47**

21

⑩ Sacré-Cœur

Le Sacré-Cœur, l'un des monuments les plus photographiés, domine la capitale du haut de la butte Montmartre. Il fut érigé pour s'attirer les faveurs divines lors de la guerre franco-prussienne (1870-1871). Terminée en 1923, sa construction dura 46 ans et coûta 40 millions de francs de l'époque. Depuis 1885, des prêtres s'y relaient 24 h sur 24 et prient pour les âmes défuntes. L'intérieur de la basilique n'est pas des plus remarquables. Cependant, la foule vient ici admirer le panorama. Au coucher du soleil notamment, peu de sites vous laisseront un souvenir aussi inoubliable.

Le dôme du Sacré-Cœur

🔵 **Évitez la foule**
en vous rendant au Saint-Jean (23, rue des Abbesses) ou au Café Arrosé (123, rue Caulaincourt).

🔵 **Une messe chantée**
a lieu le dimanche à 11 h.

• *Parvis du Sacré-Cœur, 75018.*
• *plan F1*
• *01 53 41 89 00*
• *ouv. t.l.j. 6h30-22h30, dernière entrée 22h15 (basilique), 9h30-19h (dôme et crypte)*
• *www.sacre-cœur-montmartre.com*
• *EP 6 € (dôme seul.), 8 € (dôme et crypte),*
• *PAH.*

À ne pas manquer

1. Grande mosaïque du Christ
2. Crypte voûtée
3. Portail en bronze
4. Dôme
5. Statue du Christ
6. Campanile
7. Statues équestres
8. Galerie des Vitraux
9. Façade
10. Funiculaire

Crypte voûtée
C'est l'élément le plus intéressant de l'intérieur de la basilique. Une chapelle abrite le cœur d'Alexandre Legentil, l'un des fervents adeptes du culte du Sacré-Cœur.

Grande mosaïque du Christ

La mosaïque du Christ *(ci-contre)*, de style byzantin, orne la voûte du chœur. Réalisée par Luc-Olivier Merson entre 1912 et 1922, elle illustre la dévotion de la France au Sacré-Cœur.

Portail en bronze 3
Le portail d'entrée est magnifiquement décoré par des bas-reliefs en bronze figurant des épisodes de la vie du Christ, telle cette Cène *(à droite)*.

Dôme
Reconnaissable de loin, le dôme ovoïde est le deuxième sommet de la capitale après la tour Eiffel. On y accède par un escalier à vis. Par temps clair, il offre une vue panoramique à 50 km à la ronde.

Statue du Christ
Placé dans une niche au-dessus de l'entrée principale, le Christ donnant sa bénédiction domine symboliquement les statues équestres de Jeanne d'Arc et Saint Louis.

Campanile
Conçu par Lucien Magne, ce superbe campanile de 80 m fut ajouté en 1904. Il renferme l'une des plus grosses cloches du monde, la *Savoyarde* (19 t). Fondue à Annecy en 1891, celle-ci fut offerte par les quatre diocèses de Savoie.

Statues équestres
Les deux statues en bronze d'H. Lefebvre *(ci-dessous)* encadrent le porche d'entrée. Elles représentent deux saints français : Jeanne d'Arc et Saint Louis.

La guerre franco-prussienne
La Prusse envahit l'Allemagne en 1870, menaçant également la France. Deux hommes d'affaires catholiques firent le vœu d'édifier une église dédiée au cœur du Christ si leur patrie était épargnée. La France, bien que mal préparée, déclara la guerre à la Prusse en juillet. En septembre, Napoléon III fut capturé. Les Parisiens tinrent bon, défendant leur ville avec des armes de fortune et se nourrissant d'animaux domestiques et de rats. Cependant, ils durent se rendre en 1871.

Les adieux d'un soldat français à sa femme

Façade
Paul Abadie (1812-1884) a combiné dômes, tours et éléments classiques. Sous l'effet de la pluie, la pierre de Château-Landon sécrète du calcin qui donne sa couleur à la façade.

Galerie des Vitraux
Une des galeries du dôme, décorée de vitraux, offre une vue d'ensemble sur l'intérieur de la basilique.

Funiculaire
Pour vous épargner la montée jusqu'à la basilique, vous pouvez emprunter le funiculaire qui part de l'extrémité de la rue Foyatier, près de la place S.-Valadon.

Paris Top 10

⑩ Arc de Triomphe

La construction de l'Arc de Triomphe débuta en 1806, au lendemain de la victoire d'Austerlitz et dura 30 ans, en partie du fait de l'abdication de Napoléon. En 1840, la procession funèbre de l'ancien empereur passa dessous pour se rendre aux Invalides (p. 32-33). Aujourd'hui, le monument accueille de nombreuses cérémonies officielles. Voir le soleil se coucher derrière les Champs-Élysées, formant un spectaculaire halo autour de ce monument, haut de 50 m, est un spectacle extraordinaire.

Entablement de l'Arc

🕐 Venez tôt le matin, quand la luminosité met en valeur la couleur dorée de la pierre.

☕ Offrez-vous un café au Fouquet's, vieux de plus d'un siècle (99, av. des Champs-Élysées).

- Place Charles-de-Gaulle, 75008 • plan B2
- 01 55 37 73 77 (infos) ;
- ouv. avr.-sept. : t.l.j. 10h-23h ; oct.-mars : t.l.j. 10h-22h30 (dern. accès 45 min avant la ferm.)
- ferm. 1er janv., 1er mai, 8 mai (matin), 14 juil. (matin), 11 nov. (matin), 25 déc. et cérémonies officielles
- www.arc-de-triomphe. monuments-nationaux.fr
- EP 9,50€.

À ne pas manquer

1. Plate-forme
2. Tombe du Soldat inconnu
3. Musée
4. *Départ des volontaires en 1792*
5. *Frise*
6. *Triomphe de Napoléon*
7. *Bataille d'Austerlitz*
8. *Bataille d'Aboukir*
9. *Funérailles du général Marceau*
10. Trente boucliers

1 Plate-forme

En montant par l'ascenseur (restent 40 marches ensuite) ou en gravissant les 284 marches qui mènent au sommet, vous découvrirez une vue grandiose *(ci-dessous)*. Les Champs-Élysées *(p. 103)* – magnifiques – se trouvent à l'est tandis que la Grande Arche de la Défense se dresse à l'ouest *(p. 151)*.

2 Tombe du Soldat inconnu

Ravivée chaque soir à 18h30, une flamme éternelle brille sur la tombe du Soldat inconnu – une victime de la Première Guerre mondiale dont la dépouille fut transférée ici le 11 novembre 1920.

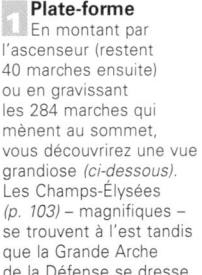

3 Musée

Un petit musée, rénové en 2008, retrace l'histoire de la construction de l'Arc ainsi que les divers enterrements et célébrations qui s'y sont déroulés au fil des années. Les événements les plus récents font l'objet d'un court film.

6 Triomphe de Napoléon

Si l'on regarde l'Arc depuis les Champs-Élysées, ce relief restauré se trouve au bas du pilier gauche. Il commémore la signature du traité de Vienne en 1810, à l'apogée du règne de Napoléon.

7 Bataille d'Austerlitz

Cette frise *(ci-dessus)*, côté nord, montre les nombreuses troupes de Napoléon brisant la glace sur le lac Satschan en Autriche. Cette tactique leur permit de noyer des milliers de troupes ennemies.

8 Bataille d'Aboukir

Au-dessus du *Triomphe de Napoléon*, cette scène illustre la victoire de Bonaparte sur les Ottomans en 1799. Cet événement fut également retracé en 1806 par une toile du peintre Antoine-Jean Gros, exposée au château de Versailles *(p. 151)*.

9 Funérailles du général Marceau

Marceau mourut en 1796 en affrontant l'armée autrichienne, alors qu'il l'avait battue l'année précédente. Ses funérailles sont représentées sur cette frise *(à droite)* située au-dessus du haut-relief du *Départ des volontaires*.

4 Départ des volontaires en 1792

Le haut-relief le plus remarquable, sur le pilier nord-est *(à droite)*, illustre l'unification de la nation française contre l'Autriche et la Prusse.

10 Trente boucliers

Situés immédiatement sous le sommet de l'arche, ces boucliers portent chacun le nom d'une victoire de Napoléon.

5 Frise

Entourant l'Arc, la frise figure les troupes françaises partant au combat (à l'est) et leur retour victorieux (à l'ouest).

Le Grand Axe

L'Arc de triomphe est situé entre deux autres arcs, formant une perspective dont Napoléon eût été fier. C'est d'ailleurs lui qui plaça l'Arc de Triomphe dans le prolongement de l'arc du Carrousel du Louvre *(p. 8-11)* – qui commémorait la victoire de 1805 à Austerlitz. En 1989, la perspective fut complétée avec la Grande Arche de la Défense, conçue comme la version du XXe s. de l'arc de l'Étoile. Long de 8 km, le Grand Axe s'étend donc de la Défense à la pyramide du Louvre.

🔟 Centre Georges-Pompidou

Également appelé centre Beaubourg, cet édifice – l'un des plus célèbres exemples d'architecture moderne – ouvrit ses portes en 1977. Ses architectes, Richard Rogers et Renzo Piano, firent sensation avec ce bâtiment « retourné », doté de tuyaux colorés parcourant la façade. Destiné à regrouper tous les éléments de la culture moderne, le centre renferme le superbe musée national d'Art moderne, ainsi qu'une bibliothèque, deux cinémas, une boutique, une librairie et des salles de spectacle.

Façade du centre Georges-Pompidou

❸ **Profitez d'un accès Wi-Fi gratuit au café du Centre. La Brasserie Georges, au sommet, offre un cadre majestueux.**

❹ **Pour éviter l'attente, achetez vos billets en ligne.**

- *Place Georges-Pompidou, 75004*
- *plan P2*
- *01 44 78 12 33*
- *ouv. t.l.j. sauf mar. 11h-21h (23h le jeu.)*
- *ferm. 1er mai*
- *www.centrepompidou.fr*
- *EP (musée) 11 à 13 € ; EG 1er dim. du mois, - 18 ans et - 26 ans (UE seul.).*

À ne pas manquer

1. Escalier roulant
2. Terrasse
3. Esplanade
4. Fontaine Igor-Stravinski
5. Tuyaux
6. Librairie
7. Atelier Brancusi
8. *L'Homme à la guitare*
9. *Le Violoniste à sa fenêtre*
10. *La Baigneuse*

1 Escalier roulant

L'élément le plus caractéristique et le plus frappant de ce bâtiment est son escalator extérieur *(à droite)* qui parcourt la façade telle une chenille en plastique transparent. En montant, le visiteur découvre les quartiers environnants et jouit au sommet d'une vue magnifique sur la capitale.

2 Terrasse

Le panorama est splendide depuis la terrasse située au dernier étage. On voit la tour Eiffel, ainsi que Montmartre au nord et la tour Montparnasse au sud. Par temps clair, la vue porte jusqu'à la Défense *(p. 151)*.

3 Esplanade

Visiteurs et Parisiens se retrouvent sur cette vaste esplanade, pour y admirer les artistes de rue et les installations de sculptures monumentales qui changent selon les expositions du centre.

4 Fontaine Igor-Stravinski

Sur la place attenante, un plan d'eau accueille les œuvres aux couleurs vives de Niki de Saint-Phalle et Jean Tinguely. Inspirées du ballet *L'Oiseau de feu* (1910) de Stravinski, les sculptures aux allures de volatiles tournent et crachent de l'eau.

9 Le Violoniste à sa fenêtre

Henri Matisse (1869-1954) fut l'un des chefs de file du fauvisme. Peint en 1917-1918, *Le Violoniste à sa fenêtre* peut être interprété comme un autoportrait de l'artiste.

10 La Baigneuse

Né à Barcelone, Joan Miró (1893-1983) vint s'installer à Paris en 1920. D'une apparente simplicité et d'une beauté onirique, *La Baigneuse* (1924) représente un océan bleu illuminé par un croissant de lune. Une silhouette féminine se devine au sein des vagues. L'ondulation de l'océan est renforcée par la ligne serpentine des cheveux blonds de la baigneuse.

5 Tuyaux

Les conduits visibles à l'extérieur du bâtiment ont choqué lors de la construction. D'autant plus qu'ils sont parés de couleurs vives : vert pour l'eau, jaune pour l'électricité et bleu pour la climatisation.

6 Librairie

Au rez-de-chaussée, elle propose des cartes postales et des posters de la plupart des œuvres exposées, ainsi que des ouvrages consacrés aux artistes liés à Paris.

7 Atelier Brancusi

L'atelier reconstitué de Constantin Brancusi (1876-1957), sculpteur roumain révolutionnaire, est accessible à partir de la *piazza*.

8 L'Homme à la guitare

Cette œuvre de l'artiste Georges Braque (1882-1963) est l'une des plus marquantes du mouvement cubiste.

Suivez le guide

Le centre abrite diverses institutions. Le musée national d'Art moderne (Mnam) occupe les 4e et 5e étages, le cinéma le niveau 1. Renseignez-vous pour découvrir les expositions temporaires, les œuvres du 5e étage et les « happenings » d'art contemporain. Les œuvres exposées changent souvent ; certaines partent parfois dans l'institution sœur du centre, à Metz.

TOP 10 Panthéon

Aujourd'hui, le Panthéon est la dernière demeure des grands hommes de France. Louis XV fit construire cette église suite à un vœu prononcé en 1744, alors qu'il souffrait d'une grave maladie. Achevé en 1790, le sanctuaire dédié à sainte Geneviève fut nommé Panthéon par analogie avec celui de Rome. Cependant, il ressemble davantage à la cathédrale Saint-Paul de Londres. Pendant la Révolution, il fut transformé en nécropole des grands hommes de la liberté. En 1806, Napoléon rendit le sanctuaire à l'Église. Il redevint panthéon de 1831 à 1852, puis à nouveau lieu de culte, avant d'être transformé définitivement en édifice public en 1885.

Façade du Panthéon

🍴 Crêpes à gogo, au 12, rue Soufflot (ouv. 7h-23h), est l'endroit idéal pour déguster une crêpe, un café ou une glace.

⏰ La caisse ferme 45 min avant la fermeture. N'arrivez pas au dernier moment !

• Place du Panthéon, 75005
• plan N6
• 01 44 32 18 00
• ouv. t.l.j. 10h-18h (avr.-sept. : jusqu'à 18h30)
• ferm. 1er janv., 1er mai, 25 déc.
• EP 8,5 € (- 25 ans 5,5 €) ; EG - 18 ans et - 26 ans (UE seul.)
• PAH.

À ne pas manquer

1 Dôme
2 Galeries du dôme
3 Crypte
4 Fresques de sainte Geneviève
5 Pendule de Foucault
6 Monument de Diderot
7 Façade
8 Fronton
9 Tombeau de Voltaire
10 Tombeau de Victor Hugo

1 Dôme
S'inspirant de la cathédrale Saint-Paul à Londres et du dôme des Invalides *(p. 32)*, ce dôme à l'armature métallique culmine à 83 m et se compose de trois coupoles. Au sommet, la lanterne ne laisse pénétrer qu'une lumière ténue, qui s'accorde avec l'affectation de l'édifice.

2 Galeries du dôme
Un escalier mène à la galerie de la 1re coupole, d'où l'on a une vue plongeante sur l'intérieur de l'église. On accède ensuite à deux coursives, offrant un magnifique panorama sur Paris. Autour des galeries, de splendides piliers soutiennent le dôme.

3 Crypte
Sa taille lui donne un aspect austère, comparé aux cryptes exiguës et sombres de la plupart des églises. Elle renferme les tombeaux des grands hommes de France, et de certains écrivains illustres comme Émile Zola *(p. 47)*.

4 Fresques de sainte Geneviève

Sur le mur sud de la nef, les fresques délicates de Pierre Puvis de Chavannes, artiste du XIXe s., illustrent des scènes de la vie de sainte Geneviève, patronne de Paris. En 451, celle-ci sauva la ville de l'invasion d'Attila et de ses hordes barbares grâce à ses prières.

6 Monument à Diderot

En 1925, Alphonse Terroir réalisa ce monument en l'honneur du philosophe Denis Diderot (1713-1784) et des encyclopédistes.

7 Façade

Les 22 colonnes corinthiennes supportant le fronton sont inspirées du Panthéon de Rome.

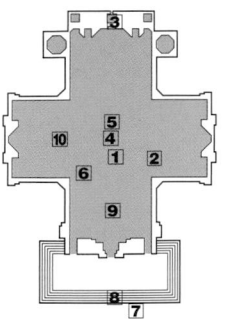

Plan du Panthéon

9 Tombeau de Voltaire

Devant la sépulture du grand écrivain et philosophe (1694-1778) se dresse sa statue.

10 Tombeau de Victor Hugo

La dépouille de l'écrivain (p. 46) fut transportée dans le corbillard des pauvres, comme il l'avait souhaité.

5 Pendule de Foucault

En 1851, le physicien Jean Foucault (1819-1868) reprend une expérience pour démontrer la rotation de la Terre, en suspendant son pendule au plafond du dôme. Le plan du balancement du pendule connaît une rotation de 11° dans le sens des aiguilles d'une montre par rapport au sol, démontrant la théorie de Foucault.

8 Fronton

Au-dessus de l'entrée, le bas-relief du fronton (ci-dessous) représente la Patrie distribuant des couronnes de laurier à ses grands hommes – comme le faisaient les Grecs et les Romains pour honorer leurs héros.

Louis Braille

Né en France le 4 janvier 1809, Louis Braille devint aveugle à l'âge de trois ans. Il entra à neuf ans à l'Institution royale des jeunes aveugles à Paris. Nommé professeur de l'Institution, il eut l'idée, en 1829, d'adapter un procédé de chiffrement en usage dans l'armée : remplacer les lettres par des points en relief sur une carte. L'invention du braille, dont l'alphabet est calqué sur celui des voyants, transforma la vie des aveugles. Décédé en 1852, Louis Braille repose au Panthéon.

10 Sainte-Chapelle

Ce joyau de l'architecture gothique fut édifié en 1248 par Louis IX (1214-1270) pour abriter ses reliques de la Passion. La Sainte-Chapelle est considérée comme la plus belle église de la capitale, notamment pour ses vitraux hauts de 15 m qui semblent soutenir la voûte étoilée. Endommagé pendant la Révolution, le sanctuaire fut restauré au XIXe siècle par Viollet-le-Duc (p. 21).

Façade de la Sainte-Chapelle

🍴 Pour l'ambiance années 1920, essayez la brasserie Les Deux Palais, à l'angle du boulevard du Palais et du quai du Marché-Neuf.

🔭 Pour voir les vitraux supérieurs, pensez à prendre une paire de jumelles.

• 8, bd du Palais, 75001
• plan N3
• 01 53 40 60 80
• ouv. mars-juin et sept.-oct. : t.l.j. 9h30-13h et 14h15-18h ; juil.-août : t.l.j. 9h30-18h (mi-mai-mi-sept. : mer. jusqu'à 21h30) ; nov.-fév. : t.l.j. 9h-13h et 14h15-17h
• ferm. 1er janv., 1er mai, 25 déc.
• www.sainte-chapelle. monuments-nationaux.fr
• EP 8,5 € ; EG 1er dim. du mois, de nov. à mars ; billet jumelé Conciergerie 12,5 €.
• AH partiel (tél. 48 h à l'avance pour réserver un fauteuil roulant).

À ne pas manquer

1 Chapelle haute
2 Rosace
3 Vitrail de la passion du Christ
4 Statues des apôtres
5 Vitrail des reliques
6 Flèche
7 Portail principal
8 Oratoire de Saint-Louis
9 Sièges de la famille royale
10 Concerts

Chapelle haute
En pénétrant dans cette chapelle spacieuse *(à droite)* par l'escalier à vis, vous serez stupéfait par la luminosité ambiante et les tonalités de tous les vitraux. Séparés par de fines colonnettes *(ci-dessous),* les vitraux du XIIIe s. illustrent des scènes bibliques, de la Genèse à la Crucifixion. Pour « lire » l'histoire contée, le mieux est de commencer par le panneau en bas à gauche et de « lire » de gauche à droite et de bas en haut.

Rosace
Figurant la vision de l'Apocalypse par saint Jean en 86 panneaux, ce vitrail de style flamboyant fut reconstruit sous Charles VIII en 1485. Ses verts et jaunes sont superbes au crépuscule.

5 Vitrail des reliques

Il relate l'histoire de sainte Hélène découvrant la Vraie Croix et la translation des reliques par Saint Louis *(ci-dessous)*.

6 Flèche

Son treillis ajouré et sa forme effilée lui confèrent une apparence délicate. Les trois flèches précédentes ayant brûlé, celle-ci, haute de 75 m, fut érigée en 1853.

Les reliques de la Passion

Louis IX fut le seul roi français à être canonisé, sous le nom de Saint Louis. Lors de sa première croisade en 1239, il acheta la Couronne d'épines présumée à l'empereur de Constantinople. Il acquit ensuite des fragments de la Vraie Croix, des clous de la Crucifixion et quelques gouttes du sang du Christ. Ces reliques coûtèrent près de trois fois plus cher que la construction de la Sainte-Chapelle. Elles sont conservées à Notre-Dame.

7 Portail principal

Comme pour la chapelle haute, le portail principal comporte deux parties. La Couronne d'épines symbolise les reliques.

3 Vitrail de la passion du Christ

Au-dessus de l'abside, ce vitrail représentant la Crucifixion est le plus splendide de la chapelle.

4 Statues des apôtres

Ces statues médiévales en bois sculpté des douze apôtres sont adossées aux piliers. Gravement endommagées à la Révolution, la plupart ont été restaurées : seul l'apôtre à la barbe *(à droite)* est d'époque.

8 Oratoire de Saint-Louis

À la fin du XIIIe s., Louis IX ajouta un oratoire afin d'assister à la messe à travers une grille ménagée dans le mur. À l'origine, la chapelle jouxtait la Conciergerie, ancien palais royal sur l'île de la Cité *(p. 69)*.

9 Sièges de la famille royale

Pendant la messe, les membres de la famille royale prenaient place dans les niches situées de part et d'autre de la chapelle (4e travée).

10 Concerts

La chapelle bénéficie d'une excellente acoustique. De mars à novembre, des concerts y ont lieu plusieurs soirs par semaine.

Invalides

*Louis XIV fit édifier l'hôtel des Invalides de 1671 à 1678 pour accueillir
les soldats blessés. Une dizaine de militaires à la retraite y sont encore
logés, alors que l'hôtel reçut plus de 4 000 pensionnaires à sa
fondation. Les valeureux combattants partagent la demeure du plus
célèbre d'entre eux, Napoléon Bonaparte, dont la dépouille repose
dans la crypte de l'église du Dôme. Les autres bâtiments abritent
aujourd'hui des bureaux de l'Armée, le musée de l'Armée
et plusieurs autres musées militaires.*

Façade du musée de l'Armée

🅒 Le Café du musée, au
17 bd des Invalides,
non loin du musée
Rodin *(p. 111)*, est un
endroit très agréable.

🅒 En été, préparez
un pique-nique et
profitez de la vue
dans le parc situé
en face des Invalides.

• 129, rue de Grenelle,
75007 • plan D4
• 0810 11 33 99
• ouv. avr.-sept. : t.l.j.
10h-18h (mar. 21h, dim.
18h30) ; oct.-mars : t.l.j.
10h-17h (dim. 17h30)
• ferm. le 1er lun. de
chaque mois sf juil.-
sept., 1er janv., 1er mai,
25 déc.
• www.invalides.org
• EP adultes 9 €, tarif
réduit 7 € ; EG - 18 ans
et - 26 ans (UE seul.)
• AH partiel

À ne pas manquer

1. Tombeau de Napoléon
2. Église du Dôme
3. Musée de l'Armée
4. Plafond de la coupole
5. Hôtel des Invalides
6. Caveaux
7. Saint-Louis-
des-Invalides
8. Jardins
9. Musée de
l'Ordre de
la Libération
10. Musée des
Plans-Reliefs

Église du Dôme
La construction de
la seconde église des
Invalides commença
en 1677 et dura
quelque 27 ans. Son
magnifique dôme,
haut de 107 m, brille
aujourd'hui comme
en 1715, lorsque
le Roi-Soleil
(Louis XIV)
le fit dorer
pour la
première
fois.

Tombeau de Napoléon
La dépouille de Napoléon
fut transférée ici en 1840,
19 ans après sa
mort. Depuis,
l'Empereur
est protégé par
six cercueils
(à gauche),
« sur les bords
de la Seine »
comme il l'avait
souhaité.

Musée de l'Armée
C'est la collection
d'armes la plus riche
du monde : armures,
armes anciennes,
uniformes, décorations
et iconographie militaire.
Le département moderne
retrace, à l'aide de
plusieurs présentations
thématiques, l'histoire
militaire de Louis XIV
à Napoléon III *(p. 111)*.

4 Plafond de la coupole

Sur la coupole au-dessus de la crypte, Charles de La Fosse peignit en 1692 *Saint Louis remettant son épée au Christ*. Près du centre de cette peinture riche en couleurs, on peut voir Saint Louis sous les traits de Louis XIV.

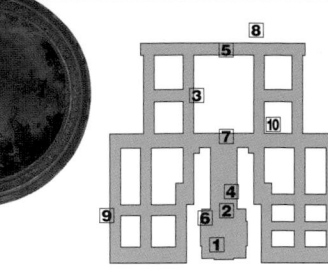

Plan de l'hôtel des Invalides

9 Musée de l'Ordre de la Libération

L'ordre de la Libération fut créé par le général de Gaulle en 1940 pour honorer les combattants de la Seconde Guerre mondiale. Le musée retrace son histoire et celle du mouvement de la Résistance.

5 Hôtel des Invalides

Longue de 195 m et haute de 4 étages, la façade classique de cet hôtel *(ci-dessus)* offre une ligne d'une grande pureté. À noter : les lucarnes en forme de trophées et d'armures. C'est l'un des plus beaux monuments parisiens.

7 Saint-Louis-des-Invalides

L'église initiale, à l'architecture complexe, jouxte celle du Dôme. Ne manquez pas son orgue du XVIIe s., qui servit notamment pour la première interprétation du *Requiem* de Berlioz.

10 Musée des Plans-Reliefs

Quantité de plans-reliefs – maquettes de villes fortifiées extrêmement détaillées – sont exposés ici. Le plus ancien, celui de la ville de Perpignan, a été établi en 1686.

Suivez le guide

Pour découvrir l'hôtel des Invalides sous son meilleur angle, arrivez par les quais. Puis dirigez-vous vers l'aile sud (près de l'église du Dôme) où se trouve la caisse. Il faut un ticket pour accéder aux musées et au tombeau de Napoléon. Si vous êtes pressé, commencez par le musée de l'Armée avant de traverser l'impressionnante cour pavée située en face de l'église du Dôme.

6 Caveaux

Les chapelles de l'église du Dôme abritent les imposantes sépultures de grands militaires français, tels les maréchaux Foch et Vauban qui révolution-nèrent les méthodes d'attaque et de défense.

8 Jardins

Après avoir traversé l'esplanade des Invalides, il faut passer la grille d'entrée de l'hôtel pour accéder aux jardins à la française. Conçus en 1704, ils sont bordés de superbes canons des XVIIe et XVIIIe s.

Gauche *La Joconde,* Louvre Centre **Musée Carnavalet** Droite **Canons, musée de l'Armée**

10 Musées

1 Musée du Louvre

Sculptures françaises et italiennes, antiquités grecques et romaines, peintures du XIIe au XIXe s. : voilà un aperçu des collections d'un des plus grands musées du monde *(p. 8-11).*

2 Musée Carnavalet

Situé dans deux superbes hôtels particuliers du Marais, ce magnifique musée retrace l'histoire de Paris. Les peintures, sculptures, meubles, objets usuels et décoratifs de cette collection ont permis de reconstituer les intérieurs parisiens des XVIe et XVIIe s. Le musée comporte également une belle collection d'objets de la Révolution *(p. 85).* Des concerts de musique classique s'y tiennent parfois.

3 Musée des Arts décoratifs

Installé dans l'aile du pavillon de Marsan, au Louvre, et réparti sur neuf étages, ce musée expose des objets du XIIe s. à nos jours. Des boiseries gothiques aux chaises dessinées par Philippe Starck, en passant par des porcelaines Renaissance et des tapis des années 1970, la collection est d'une grande richesse. Le bâtiment abrite également le musée de la Mode et du Textile, ainsi que le musée de la Publicité *(p. 95).*

4 Musée national du Moyen Âge

Cet extraordinaire musée consacré aux arts médiévaux est également appelé musée de Cluny – du nom de l'hôtel qui l'abrite – ou thermes de Cluny, en raison des bains gallo-romains qui le jouxtent. L'œuvre la plus connue est la tapisserie de *La Dame à la licorne.* Sont également exposés des vitraux des XIIe et XIIIe s., ainsi que des couronnes et des bijoux *(p. 120).*

Jardin des plantes

5 Muséum national d'histoire naturelle

Situé dans le Jardin des plantes, ce grand musée possède une incroyable collection de squelettes d'animaux, fossiles, minéraux et pierres précieuses. La grande galerie de l'Évolution, avec des centaines d'animaux naturalisés, décrit les interactions entre l'homme et la nature au cours de l'évolution de la vie sur Terre *(p. 60, p. 129).*

Paris thème par thème

6 Musée du Quai-Branly

Ce musée unique abrite 300 000 objets des civilisations d'Afrique, d'Asie, d'Océanie et des Amériques ; 3 500 sont exposés en permanence. La collection d'instruments africains est particulièrement remarquable. L'édifice, conçu par l'architecte Jean Nouvel, vaut le détour à lui tout seul *(p. 112)*.

7 Musée de l'Armée

L'histoire de l'armée française est à l'honneur dans l'une des ailes de l'hôtel des Invalides. Les pièces exposées vont du Moyen Âge au XXe s., avec une vaste section consacrée à la Seconde Guerre mondiale. Vous pourrez voir la tente de campagne de Napoléon et son chien empaillé, des modèles d'artillerie ainsi que de nombreuses armes et armures médiévales *(p. 111)*.

8 Musée Cognacq-Jay

L'hôtel Donon était l'emplacement idéal pour cette magnifique collection de meubles, tableaux, porcelaines, objets usuels et décoratifs du XVIIIe s. accumulés par les riches fondateurs de la Samaritaine. Les célèbres peintures de Rembrandt et de Reynolds font partie des fleurons du musée *(p. 85)*.

Vénus aux colombes, musée Cognacq-Jay

9 Cité de l'architecture et du patrimoine

Située dans l'aile est du palais de Chaillot, la Cité de l'architecture, l'un des plus prestigieux (et des plus grands) centres d'architecture au monde, expose des œuvres du patrimoine architectural français. La galerie des Moulages abrite des maquettes en trois dimensions des grandes cathédrales de France *(p. 135-136)*.

10 Musée de Montmartre

Montmartre fut longtemps le quartier des artistes. Plusieurs d'entre eux – Renoir, Dufy et Utrillo notamment – vécurent dans la maison qui abrite ce musée. Des objets du XIXe s. – affiches, cartes et documents – évoquant l'histoire de la demeure font revivre cette époque. Le jardin offre une belle vue sur le quartier *(p. 141)*.

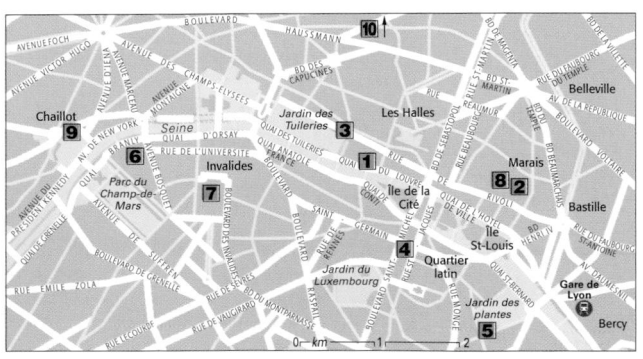

Gauche *Chambre de Van Gogh à Arles* (1889), musée d'Orsay Droite **Orangerie**

TOP 10 Musées d'art

1 Musée d'Orsay
p. 12-15.

2 Musée Picasso
Situé dans l'hôtel Salé *(p. 90)* superbement restauré, c'est l'un des musées favoris des Parisiens. Il renferme de nombreuses peintures, sculptures, dessins et autres œuvres de Pablo Picasso (1881-1973), y compris ses travaux de la période cubiste. De grandes sculptures ornent le jardin et la cour. Des œuvres de la collection personnelle de l'artiste, réalisées par ses contemporains, sont également exposées. Le musée est fermé pour restauration jusqu'à l'été 2013 *(p. 85)*.

3 Musée Rodin
S'il fait beau, profitez-en pour visiter les jardins du musée. Tout en musardant à l'ombre des arbres, vous contemplerez quelques-unes des plus célèbres sculptures de Rodin (1840-1917) : *Le Penseur, Les Bourgeois de Calais* ou *La Porte de l'Enfer*. Auguste Rodin vécut et travailla les neuf dernières années de sa vie dans l'hôtel Biron, superbe demeure du XVIIIe s. La collection retrace la totalité de sa carrière *(p. 111)*. Des expositions temporaires y sont également organisées.

4 Musée national d'Art moderne
Le centre Pompidou, à l'architecture révolutionnaire, est le lieu idéal pour accueillir l'art contemporain. Quelque 1 400 œuvres sont réparties sur deux niveaux, le 1er est consacré aux artistes de la 1re moitié du XXe s., le 2nd aux créations des années 1960 à nos jours. Des expositions temporaires sont organisées *(p. 26-27)*. ✎ *Pl. Georges-Pompidou, 75004 • plan P2 • ouv. t.l.j. sf mar. 11h-21h • EP.*

5 Jeu de Paume
Créée dans un ancien jeu de paume construit au XIXe s., cette galerie offre l'un des plus beaux espaces culturels de la capitale. Elle accueille de remarquables expositions de photographie et d'installation vidéo. ✎ *1, pl. de la Concorde, 75001 • plan D3 • ouv. mar. 12h-21h, mer.-ven. 12h-19h, sam.-dim. 10h-19h • ferm. 1er janv., 1er mai, 25 déc. • EP.*

Le Penseur, musée Rodin

Les autres artistes parisiens **p. 144**

6 Musée de l'Orangerie

Les œuvres majeures de ce musée rénové sont huit *Nymphéas* de Monet *(p. 13)*. Située à l'angle du jardin des Tuileries, la collection Walter-Guillaume comprend des tableaux de Matisse, Picasso, Modigliani et autres maîtres des années 1870 à 1930. ◈ *Jardin des Tuileries, 75001 • plan D3 • ouv. mer.-lun. 9h 10h • www.musee-orangerie.fr • EP.*

7 Espace Montmartre-Salvador Dalí

Avec ses murs peints en noir, ses effets de lumière et sa bande sonore, ce musée en sous-sol présente certaines œuvres peu connues de Salvador Dalí, dont ses bronzes et ses nombreuses illustrations *(p. 141)*.

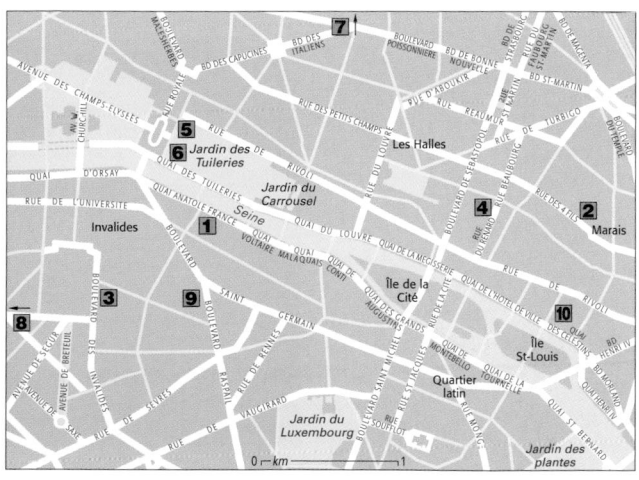

Canapé-Bouche, Salvador Dalí

8 Musée Marmottan-Claude Monet

Claude Monet occupe la place d'honneur de ce musée, avec 165 toiles léguées par son fils.

Cette collection de tableaux de l'artiste, probablement la plus belle du monde, comprend une série de ses derniers *Nymphéas*. Le musée renferme d'autres peintures impressionnistes et réalistes, ainsi qu'une superbe collection d'enluminures médiévales *(p. 153)*.

9 Musée Maillol

Les œuvres d'Aristide Maillol – sculptures, dessins, peintures et céramiques – constituent le cœur du musée, créé par son modèle, Dina Vierny. Des artistes majeurs sont aussi présentés lors d'expositions temporaires *(p. 121)*.

10 Maison européenne de la photographie

Ce superbe musée du Marais propose des collections et expositions qui vont du portrait au documentaire, et de la rétrospective aux artistes contemporains *(p. 87)*.

Gauche **Jardin du Luxembourg** Centre **Jardin des plantes** Droite **Bois de Boulogne**

🗓10 Parcs et jardins

Jardin du Luxembourg
Les Parisiens adorent ce jardin situé au cœur de la rive gauche. Sa vaste esplanade est idéale pour observer les gens ou lézarder au soleil. Sur le grand bassin, les enfants font naviguer leurs voiliers. De nombreuses statues ornent le jardin. Il y a même un café *(p. 119)*.

Jardin des Tuileries
Ce jardin à la française, créé au XVIIe s. en même temps que le palais des Tuileries – aujourd'hui détruit –, s'étend le long de la Seine entre le Louvre et la place de la Concorde. Des bronzes d'Aristide Maillol *(p. 95)* sont placés entre ses allées bordées de tilleuls et de marronniers.

Jardin des plantes
Le Jardin des plantes médicinales a été créé en 1635 pour le roi. Ses allées sont bordées de statues et d'arbres anciens, notamment d'un des plus vieux arbres de Paris, rejet d'un robinier faux acacia planté en 1601. Le jardin des roches *(p. 132)* compte 2 000 espèces végétales de montagne.

Bois de Boulogne
Le week-end, les Parisiens viennent marcher, courir, se promener en barque ou à vélo dans ce bois, à la limite ouest de la capitale. Outre ses lacs et cascades, ce parc comprend trois jardins à la française et deux hippodromes *(p. 152)*.

Bois de Vincennes
Second poumon vert de la capitale, il est l'équivalent, à l'est, du bois de Boulogne. D'abord terrain de chasse du roi, il fut ensuite aménagé vers 1860. Il renferme plusieurs lacs et cascades, un zoo et un hippodrome. L'été, des concerts de musique classique et de jazz, ainsi que des spectacles, animent le Parc floral *(p. 151)*.

Parc Monceau
Ce jardin, le plus huppé de Paris, est fréquenté par les habitants des hôtels et appartements chic du quartier. De son aménagement typique de l'élégance du XVIIIe s., il reste quelques curiosités architecturales telles que la colonnade corinthienne entourant un bassin *(p. 153)*.

Bois de Boulogne

7 Jardins du Palais-Royal
Ces ravissants jardins sont entourés par les arcades du Palais-Royal, qui datent du XVIIIe s. On y trouve des sculptures contemporaines, et notamment les contestées colonnes de Daniel Buren. ⊗ Pl. du Palais-Royal, 75001 • plan L1.

8 Versailles
Le célèbre château du Roi-Soleil offre de nombreux espaces verts, depuis les jardins à la française avec leurs allées et bosquets alignés, jusqu'au jardin anglais de style champêtre, au nord du Petit Trianon, avec ses chemins sinueux. En été, n'hésitez pas à faire un tour de barque sur le Grand Canal (p. 151).

9 Parc Montsouris
Situé à la limite sud de la ville, ce parc, très apprécié, est le deuxième par sa superficie dans Paris intra-muros. Le paysagiste Adolphe Alphand l'aménagea dans le style anglais sur d'anciennes carrières, de 1865 à 1878. Comme d'autres écrivains et artistes, Hemingway (p. 47) fréquenta ce jardin au XXe s. Celui-ci comprend une piste de jogging, un lac et un kiosque à musique. ⊗ Bd Jourdan, 75014 • RER Cité Universitaire.

10 Parc des Buttes-Chaumont
Le baron Haussmann créa ce superbe parc en 1867, sur une ancienne décharge (p. 61). Les paysagistes dessinèrent des rochers artificiels, des rivières, une cascade et même un lac avec son île accueillant un temple romain. On peut y faire du canotage ou bien admirer le Sacré-Cœur (p. 22-23). On y trouve également un restaurant. ⊗ Rue Manin, 75019 • métro Buttes-Chaumont.

Les plus belles fontaines

1 Fontaine Agam
Cette fontaine illuminée a été conçue par Yaacov Agam. ⊗ Esplanade de la Défense.
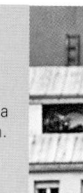

2 Fontaine des Quatre-Saisons
La figure allégorique de Paris regarde celles de la Seine et de la Marne (1739). ⊗ Rue de Grenelle • plan C4.

3 Fontaine des Innocents
Dernière fontaine Renaissance de Paris, sculptée par Jean Goujon en 1547. ⊗ Square des Innocents • plan N2.

4 Fontaine Médicis
Fontaine baroque construite au XVIIe s. pour Marie de Médicis (p. 119). ⊗ Jardin du Luxembourg • plan L6.

5 Fontaine Molière
Fontaine créée au XIXe s. en souvenir du dramaturge. ⊗ Rue de Richelieu • plan E3.

6 Fontaine de l'Observatoire
Quatre statues symbolisant les continents soutiennent un globe. ⊗ Jardin du Luxembourg • plan L6.

7 Fontaine du Châtelet
Cette fontaine (1806) commémore la victoire de Napoléon en Égypte. ⊗ Pl. du Châtelet • plan N2.

8 Fontaine Igor-Stravinski
Ses oiseaux aux couleurs vives crachent de l'eau (p. 27).

9 Jeux d'eau du Trocadéro
Cette fontaine est illuminée la nuit (p. 17).

10 Grandes Eaux musicales de Versailles
Les sam. et dim. d'été, les fontaines se déploient sur fond musical (p. 154).

Gauche **Notre-Dame** Centre **Sacré-Cœur** Droite **Sainte-Chapelle**

TOP 10 Lieux de culte

1 Notre-Dame
p. 18-21.

2 Sacré-Cœur
p. 22-23.

3 Sainte-Chapelle
Même si la chapelle n'est plus utilisée pour les offices religieux, la beauté des vitraux invite toujours aujourd'hui au recueillement *(p. 30-31).*

4 Église du Dôme
Jouxtant l'église des soldats, au sein de l'hôtel des Invalides, ce joyau de l'architecture classique est la dernière demeure de Napoléon Bonaparte. Son maître-autel, très orné, contraste avec les sobres chapelles en marbre qui entourent la crypte. Cette dernière abrite les tombeaux de grands chefs militaires français. Le dôme doré de ce sanctuaire, un des symboles de Paris, est visible à des kilomètres à la ronde *(p. 32-33).*

5 Panthéon
Nommé ainsi par analogie avec le Panthéon de Rome, ce monument, construit à la fin du XVIIIe s., servit de lieu de culte pendant deux ans avant de devenir la nécropole des grands hommes de la Révolution. Par la suite, des Français illustres y furent inhumés *(p. 28-29).*

6 Saint-Eustache
Pendant plusieurs siècles, ce monumental édifice gothique fut le lieu de culte des marchands des Halles. Construit par étapes sur plus d'un siècle, il fut consacré en 1640. L'intérieur est de style Renaissance. Possédant une acoustique remarquable, cette vaste église (la nef mesure 100 m de long) accueille un concert d'orgue tous les dimanches à 17 h 30 *(p. 75).*

7 La Madeleine
Véritable temple grec édifié à partir de 1764, l'église Sainte-Marie-Madeleine, située à la limite du quartier de l'Opéra, constitue l'un des monuments les plus célèbres de Paris. L'imposant sanctuaire aux 52 colonnes corinthiennes fut consacré en 1845. Ses belles portes en bronze sont ornées de

Baptême du Christ, la Madeleine

bas-reliefs représentant les Dix Commandements. Le fronton principal illustre, quant à lui, le Jugement dernier. L'intérieur, décoré de marbre et d'or, renferme de superbes statues, dont le *Baptême du Christ* de François Rude. Des concerts d'orgue y ont lieu un dimanche par mois.
◈ *Pl. de la Madeleine, 75008*
• *plan D3* • *ouv. t.l.j. 9h30-19h* • *EG.*

8 Grande Synagogue de la Victoire

Cette synagogue de la fin du XIXe s., l'une des plus grandes d'Europe, est ouverte aux fidèles et aux groupes (sur r.-v.). Sa façade représente les Tables de la Loi. Paris compte d'autres synagogues, plus modestes, notamment dans le Marais, quartier habité par une importante communauté juive. Celle du n° 10 rue Pavée a été construite en 1913 par Guimard, l'architecte des stations de métro Art nouveau de la capitale.
⊗ 44, rue de la Victoire, 75009 • plan E2.

9 Grande Mosquée de Paris

La mosquée de Paris fut construite dans les années 1920 en hommage à la participation des musulmans d'Afrique du Nord à la Première Guerre mondiale. Édifiée par des artisans maghrébins dans le style arabo-andalou, elle comprend une charmante cour intérieure (p. 129).

10 Saint-Sulpice

L'église du XVIIe s. possède un décor intérieur très sobre, à l'exception de la chapelle des Anges qu'ornent les célèbres fresques d'Eugène Delacroix. Victor Hugo y épousa Adèle Foucher en 1822. Avec plus de 6 500 tuyaux, son grand orgue, conçu par Clicquot et Chalgrin en 1776, est l'un des plus grands du monde (p. 119).

Façade de l'église Saint-Sulpice

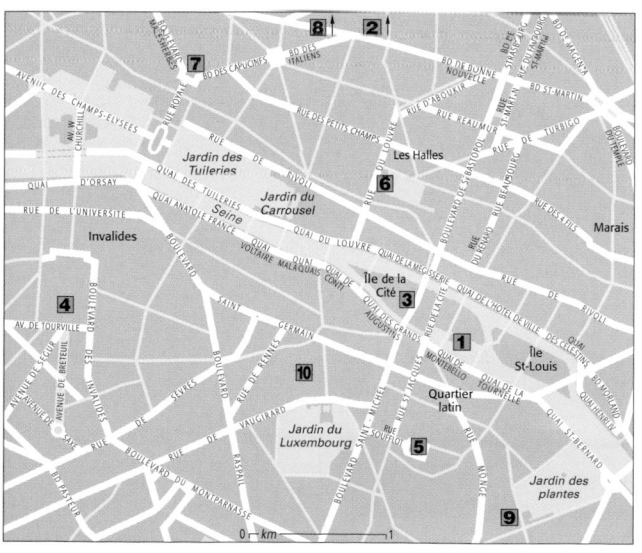

Gauche **Conciergerie** Droite **Hôtel de Ville**

⑩ Monuments historiques

1 Hôtel des Invalides
p. 32-33.

2 Château de Versailles
Louis XIV fit du pavillon de chasse de son père le plus grand palais d'Europe et y transféra sa cour en 1678. Ce fut la résidence du roi pendant plus d'un siècle, jusqu'à ce que Louis XVI et la reine soient contraints de fuir lors de la Révolution (p. 151).

3 Conciergerie
Logeant à l'origine le concierge et les gardes du Palais de Justice, la Conciergerie devint une prison à la fin du XIVe s. Pendant la Révolution, 4 000 citoyens, dont la reine Marie-Antoinette, y furent emprisonnés ; la moitié fut guillotinée. L'édifice à la sinistre réputation resta un lieu de détention jusqu'en 1914 (p. 69).

4 Palais de Justice
Aujourd'hui siège des cours et tribunaux, il fut la demeure du roi jusqu'au XIVe s., lorsque Charles V transféra la Cour dans le Marais. Auparavant, le palais des gouverneurs romains se trouvait déjà sur ce site. Pendant

Palais de Justice

la Révolution, des milliers de Français furent condamnés à mort dans l'ancienne chambre à coucher de Louis IX (p. 70).

5 Hôtel-Dieu
Devenu l'hôpital du centre de Paris, il fut construit entre 1866 et 1878 à l'emplacement de l'Hospice des enfants trouvés. L'ancien Hôtel-Dieu, édifié au XIIe s. de l'autre côté du parvis, avait été rasé lors des grands travaux d'Haussmann. Dans la cour, un monument commémore l'action de la police contre les nazis en 1944. ◐ 1, pl. du Parvis-Notre-Dame, 75004 • plan N4.

6 Palais de l'Élysée
Résidence du chef de l'État français depuis 1873, l'édifice fut construit en 1718 pour le comte d'Évreux, puis appartint à Mme de Pompadour, maîtresse de Louis XV, qui étendit les jardins jusqu'aux Champs-Élysées. Napoléon y signa sa seconde abdication en 1815 (p. 105).

7 Hôtel de Ville
L'Hôtel de Ville de Paris est doté d'une façade pompeuse avec ses hauts-reliefs, ses statues et ses tourelles. Il fut édifié au XIXe s. pour remplacer le bâtiment d'origine, incendié sous la Commune en 1871 (p. 45). Devenue aujourd'hui un agréable espace piéton, la place fut autrefois le lieu d'exécutions horribles. Ainsi, Ravaillac,

Paris thème par thème

l'assassin d'Henri IV, y fut écartelé vivant en 1610.
⊗ 4, pl. de l'Hôtel-de-Ville, 75001 • plan P3 • 01 42 76 40 40 • vis. seul. pour les groupes et sur r.-v. : 01 42 76 54 04 • EG.

Palais-Royal
8 Cette ancienne demeure royale, occupée aujourd'hui par le Conseil d'État, fut construite en 1632 par le cardinal de Richelieu, qui y mourut dix ans plus tard. Louis XIV y passa ensuite son enfance et la céda à son frère Philippe d'Orléans en 1692, après la construction de Versailles. ⊗ Pl. du Palais-Royal, 75001 • plan L1 • f. au public.

La Sorbonne
9 La célèbre université fut fondée en 1253, comme simple collège destiné aux étudiants en théologie sans le sou. En 1469, elle abrita la première imprimerie de France. Fermée pendant la Révolution, elle devint ensuite l'université de Paris (p. 119).

Palais du Luxembourg
10 Marie de Médicis, veuve d'Henri IV, fit construire ce splendide édifice par Salomon de Brosse sur le modèle du palazzo Pitti de Florence, où elle avait passé son enfance. Peu après la fin des travaux en 1621, la reine fut exilée par son fils Louis XIII. Retiré à la famille royale à la Révolution, le palais devint une prison. De nos jours, il abrite le Sénat. Le musée du Luxembourg est tout près.
⊗ 15, rue de Vaugirard, 75006 • plan L6 • 01 44 54 19 49 • vis. guid. seul. sur r.-v. • jardins ouv. la journée.

Palais du Luxembourg

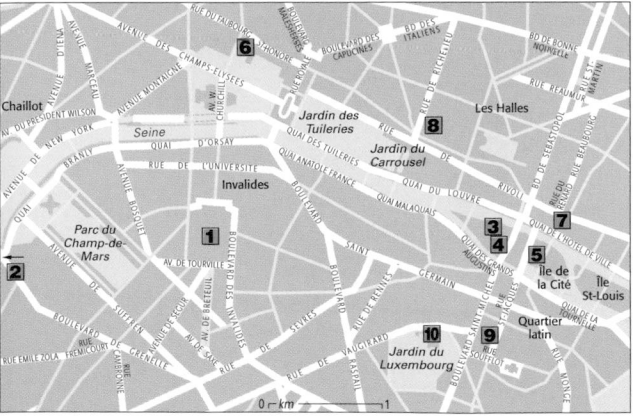

Gauche **Charlemagne sacré empereur** Droite **Paris incendié sous la Commune**

10 Un peu d'histoire

1 L'arrivée des Parisii

Bien que des traces d'habitats du néolithique (4500 av. J.-C.) aient été retrouvées, les Parisii sont considérés comme les premiers habitants du site. La tribu celte, composée de chasseurs et de pêcheurs, s'installe sur l'île de la Cité au IIIe s. av. J.-C. Le village est nommé Lutetia, qui signifie « chantier naval sur la rivière ». Les Parisii frappent leurs propres pièces d'or.

2 La conquête romaine

En 52 av. J.-C., les Romains s'emparent du village des Parisii. Ils le reconstruisent pour en faire leur centre administratif et fondent une nouvelle cité sur la rive gauche. Les thermes de Cluny *(p. 34)* et les arènes de Lutèce (Ve arr.) sont les seuls vestiges de cette époque. Au IVe s. apr. J.-C., sous l'empereur Julien, Lutèce prend le nom de Paris, d'après le nom de ses premiers habitants.

3 L'invasion des Francs

En l'an 450, une jeune nonne, Geneviève, sauve la cité d'une attaque d'Attila et devient par la suite la sainte patronne de Paris. Cependant, en 476, les Francs prennent

possession de la ville, la convertissent au christianisme – qui devient religion officielle – et en font la capitale de leur nouveau royaume, la France.

4 Charlemagne, grand empereur des Romains

Les Carolingiens prennent la tête de la France avec l'accession au trône de Pépin le Bref en 751. Son héritier, Charlemagne, sacré empereur en 800, déplace la capitale à Aix-la-Chapelle. Paris décline, jusqu'à ce qu'Hugues Capet accède au trône en 987 et rende son statut à sa ville natale.

5 Massacre de la Saint-Barthélemy

Marguerite de Valois, fille de Catherine de Médicis et d'Henri II, épouse le protestant Henri de Navarre en août 1572. Peut-être par peur des nombreux protestants venus assister au mariage, Catherine de Médicis et Charles IX organisent leur massacre, qui fait des milliers de morts. Henri de Navarre survit et deviendra plus tard Henri IV, le premier roi Bourbon.

Avènement de Louis XIII

6 La Révolution

Après plusieurs décennies d'excès de la monarchie et à

cause du gouffre grandissant entre riches et pauvres, le peuple s'empare de la Bastille en 1789 *(voir ci-contre)*.

7 L'empereur Napoléon
Tandis que Paris se relève de la Révolution, un jeune général corse, Napoléon Bonaparte, sauve la ville d'une insurrection royaliste. En 1804, il se proclame empereur des Français à Notre-Dame *(p. 20)*.

8 Le Second Empire
En 1851, Louis-Napoléon, neveu de Napoléon Ier, s'empare du pouvoir, restaure l'Empire et prend le nom de Napoléon III. Il charge le baron Haussmann d'entreprendre de grands travaux pour faire de Paris la plus belle cité d'Europe. Les boulevards extérieurs sont percés et un réseau d'égouts est construit entre 1852 et 1870.

9 La Commune de Paris
En 1871, à la fin de la guerre franco-prussienne *(p. 23)*, de nombreux citoyens refusent les conditions de l'amnistie. Un mouvement de gauche s'insurge et instaure la Commune afin de diriger Paris. Le 21 mai, l'armée gouvernementale entre dans la capitale. Pendant une semaine, les communards luttent et une grande partie de la ville est incendiée.

10 La libération de Paris
L'occupation de Paris durant la Seconde Guerre mondiale constitue l'une des pages les plus noires de son histoire. Toutefois, la ville est également le cœur de la Résistance. Les Alliés libèrent Paris le 25 août 1944. Deux jours avant, le général von Choltitz désobéit à l'ordre d'Hitler de brûler la ville.

Dates clés de la Révolution

1 14 juillet 1789
La prise de la Bastille, symbole de la monarchie répressive, marque le début de la Révolution.

2 4 août 1789
L'abolition du régime féodal et le droit à la liberté de tout citoyen sont proclamés

3 26 août 1789
Déclaration des droits de l'homme et du citoyen, incarnant les idéaux d'égalité et de dignité.

4 Octobre 1789
Les citoyens marchent sur Versailles et la famille royale est emprisonnée au palais des Tuileries *(p. 95)*.

5 20 juin 1791
La famille royale tente de s'échapper, mais elle est arrêtée à Varenne.

6 10 août 1792
Le peuple investit les Tuileries. La famille royale est transférée au Temple.

7 21 septembre 1792
La monarchie est officiellement abolie et la Ire République proclamée.

8 1792-1794
Le Comité de salut public, comptant Robespierre, Danton et Marat, fait régner la Terreur. Des milliers de personnes sont guillotinées.

9 21 janvier 1793
Louis XVI est déclaré coupable de trahison et exécuté. Marie-Antoinette est guillotinée à son tour le 16 octobre.

10 28 juillet 1794
Robespierre est guillotiné. C'est la fin de la Terreur et, peu après, de la Révolution.

Gauche **Plaque sur la maison d'Hugo** Droite *Le Marquis de Saint-Évremont*, film d'après Dickens

TOP 10 Romans historiques à Paris

1 Les Misérables
Publié en 1862, le roman de Victor Hugo (1802-1885) décrit de façon très réaliste la vie des Parisiens déshérités à l'aube du XIXe s. Le héros, Jean Valjean, est un homme du peuple, brisé injustement par la société. Le personnage du jeune Marius est inspiré de la propre expérience de l'écrivain lorsqu'il était un étudiant sans le sou.

2 Notre-Dame de Paris
Ce roman gothique de Victor Hugo, paru en 1831, a fait l'objet de nombreuses adaptations, tant sur scène qu'à l'écran. Situé au Moyen Âge, il conte l'émouvante et fantastique histoire de Quasimodo, un sonneur de cloches bossu, et de son amour pour Esméralda, une jeune bohémienne *(p. 21)*.

3 Le Père Goriot
Honoré de Balzac (1799-1850) décrivit admirablement la vie parisienne dans *La Comédie humaine*, œuvre qui regroupe tous ses romans et dont *Le Père Goriot* (1835) constitue la clé de voûte. On peut visiter la maison de Balzac au n° 47 rue Raynouard, dans le XVIe arrondissement *(p. 137)*.

4 L'Éducation sentimentale
Gustave Flaubert (1821-1880) fit des études de droit à Paris. Cependant, une maladie nerveuse ayant mis un terme à sa carrière, il se consacra entièrement à la littérature. Ce roman, publié en deux volumes en 1870 et un peu moins connu que *Madame Bovary* (1857), marque la transition entre le romantisme et le réalisme dans la littérature française.

5 Bel-Ami
Dans *Bel-Ami* (1885), l'un de ses meilleurs romans, Guy de Maupassant (1850-1893) critiqua le milieu arriviste de la finance parisienne à la Belle Époque. Reconnu comme un des plus grands nouvellistes du monde, l'écrivain repose au cimetière du Montparnasse *(p. 152)*.

Guy de Maupassant

6 À la recherche du temps perdu
Marcel Proust (1871-1922) écrivit ce chef-d'œuvre en 14 volumes, dont le premier, *Du côté de chez Swann*, parut en 1913. Il s'agit de l'histoire romancée de sa propre vie à Paris, à la Belle Époque. L'écrivain est enterré au cimetière du Père-Lachaise *(p. 153)*.

7 Nana

Probablement le plus grand chroniqueur parisien, Émile Zola (1840-1902) naquit, vécut et mourut dans la capitale, passant toutefois une partie de son enfance à Aix-en-Provence. Publié en 1880, *Nana* décrit de manière crue le monde de la prostitution à travers son personnage principal, une actrice et fille de joie.

8 L'Assommoir

Paru en 1877, *L'Assommoir* de Zola révèle un aspect de Paris que nombre de ses contemporains auraient préféré ne pas voir : l'alcoolisme au sein de la classe ouvrière. Cet ouvrage fait partie du cycle romanesque des *Rougon-Macquart*, composé de 20 romans qui dépeignent la vie des différentes classes sociales à travers deux branches d'une même famille.

9 Thérèse Raquin

Dans ce roman, Émile Zola s'attache aux passions secrètes qui se dissimulent derrière la vitrine d'une mercerie parisienne. Obsessionnelles, celles-ci conduiront à un meurtre sauvage. Ce deuxième roman (1867) témoigne déjà d'une maturité étonnante de l'écrivain, ainsi que d'une fine analyse de la vie de l'époque.

10 Conte de deux cités

Grand chroniqueur de la vie londonienne au XIXe s., Charles Dickens (1812-1870) rompt avec la tradition, en 1859, en situant son roman à Paris, sur fond de Révolution française *(p. 45)*. Sa description des conditions de détention à la prison de la Bastille est des plus accablantes.

Écrivains anglo-saxons ayant vécu à Paris

1 James Joyce

Joyce (1882-1941) vécut à Paris de 1920 à 1940. *Ulysse* y fut publié en 1922 par Shakespeare and Company.

2 Ernest Hemingway

Dans *Paris est une fête*, l'auteur américain (1899-1961) décrit son séjour dans la capitale (1921-1926).

3 F. Scott Fitzgerald

Fitzgerald (1896-1940) fréquenta Montparnasse.

4 George Orwell

Avec *Dans la dèche à Paris et à Londres* (1933), Orwell (1903-1950) raconte la misère qu'il connut dans les deux capitales.

5 Samuel Beckett

Né en Irlande, le dramaturge (1906-1989) vécut à Paris de 1928 jusqu'à sa mort.

6 Chester Himes

Vers 1955, l'auteur noir américain (1909-1984) s'installa à Paris où il écrivit la plupart de ses romans policiers.

7 Anaïs Nin

Dans son *Journal*, la romancière américaine (1903-1977) raconte sa vie à Paris où elle rencontra Henry Miller.

8 Henry Miller

Dans *Tropique du Cancer* (1934), l'écrivain (1891-1980) dévoile la misère de la capitale.

9 James Baldwin

L'auteur afro-américain (1924-1987) termina à Paris son premier roman, *Les Élus du Seigneur* (1953).

10 Richard Wright

Venu à Paris en 1947, le dénonciateur de la condition des Noirs américains y mourut en 1960.

 Les lieux fréquentés par les écrivains p. **125**

Gauche **Palais de Chaillot** Centre **Flamme de la Liberté** Droite **Pont Alexandre-III**

🔟 Au fil de l'eau

1 Tour Eiffel

Depuis de nombreux endroits de la capitale, vous verrez le sommet de la tour au-dessus des toits. Mais c'est depuis le fleuve que vous aurez la meilleure vue de ce symbole parisien, ainsi que des jardins du Trocadéro sur la rive opposée. Offrez-vous une croisière sur la Seine à l'heure du dîner pour admirer la tour illuminée *(p. 16-17)*.

La tour Eiffel

2 Palais de Chaillot

Enserrant les jardins du Trocadéro, les ailes courbes du palais de Chaillot sont visibles depuis la Seine. Des jeux d'eau somptueux, séparant le jardin en deux, surplombent un bassin bordé de statues. À l'extrémité du plan d'eau, deux canons dirigent leurs jets vers le fleuve et vers la tour Eiffel sur l'autre rive *(p. 135)*.

3 Flamme de la Liberté

Une réplique de la torche de la statue de la Liberté à New York fut érigée en 1987 par l'*International Herald Tribune*, à l'occasion du 100e anniversaire du journal, afin de rendre hommage aux résistants français de la Seconde Guerre mondiale. Elle est située sur la rive droite du pont de l'Alma, au-dessus du tunnel où la princesse Diana trouva la mort, en 1997, dans un accident de voiture. Devenue le mémorial officieux de la princesse de Galles, la Flamme est couverte de fleurs et de messages *(p. 106)*. ◈ *Plan C3.*

4 Grand Palais et Petit Palais

Ces deux magnifiques édifices, construits pour l'Exposition universelle de 1900, se dressent près du pont Alexandre-III. La halle en fer du Grand Palais, de style Art nouveau, est couverte d'une immense verrière – superbe lorsqu'elle est illuminée la nuit. De taille plus modeste, le Petit Palais est de style académique avec son dôme et ses éléments classiques *(p. 103)*.

5 Pont Alexandre-III

Le plus somptueux pont de Paris, représentatif de l'art décoratif de la IIIe République, accumule gerbes, candélabres,

Promenades en bateau dans Paris **p. 164**

chérubins et autres statues exubérantes. Édifié pour l'Exposition universelle de 1900, il mène de l'esplanade des Invalides au Grand et au Petit Palais. Il offre une vue superbe sur l'hôtel des Invalides *(p. 104)*.

6 Église du Dôme
Le pont Alexandre-III offre une vue admirable sur l'église du Dôme des Invalides. Son toit couvert d'or invite les promeneurs à traverser l'esplanade pour pénétrer dans l'hôtel commandé par Louis XIV pour ses soldats *(p. 32-33)*.

7 Musée du Louvre
Cet immense musée s'étend le long de la Seine depuis le pont Royal jusqu'au pont des Arts. L'aile Denon, donnant sur le fleuve, fut principalement construite sous Henri IV et Louis XIII à la fin du XVIe et au début du XVIIe s. *(p. 8-11)*.

8 Musée d'Orsay
L'architecte Victor Laloux conçut cette ancienne gare afin qu'elle s'harmonise avec le Louvre sur la rive opposée *(p. 12-15)*. Le meilleur point de vue pour admirer ce musée est situé sur la rive droite, de l'autre côté de la Seine : la façade et les

arcades dominant les horloges des deux extrémités sont parfaitement mises en valeur.

9 Conciergerie
Cet imposant édifice, qui devint une célèbre prison durant la Révolution, domine la partie ouest de l'île de la Cité. Il renferme les derniers bâtiments médiévaux subsistant sur l'île, notamment la salle des Gens d'armes, ainsi que les tours jumelles et la tour de l'Horloge qui donnent sur le quai du même nom *(p. 69)*.

10 Notre-Dame
Depuis la rive gauche, la magnifique cathédrale apparaît dans toute sa majesté. À l'extrémité est de l'île de la Cité, elle se dresse au-dessus des vestiges que laissèrent les premières tribus installées ici au IIIe s. av. J.-C. *(p. 18-21)*.

Notre-Dame

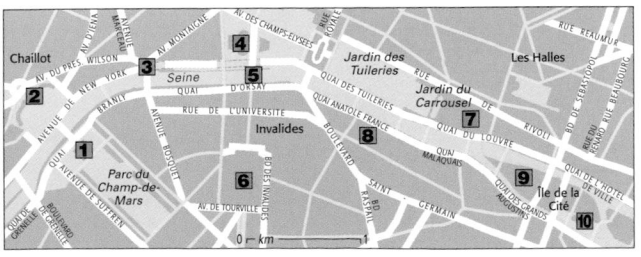

Paris thème par thème

Gauche **Jardin des Tuileries** Droite **Bois de Boulogne**

10 Paris à pied

Jardin des Tuileries
Vous ne pouvez pas quitter Paris sans avoir visité ce superbe jardin. Avant la Révolution, les aristocrates venaient y montrer leurs derniers atours à la mode. Il est officiellement rattaché au musée du Louvre *(p. 95)*.

Les quais
La promenade le long de la Seine – le dimanche, notamment, lorsque les voies sur berge sont fermées à la circulation – est typiquement parisienne. Les deux rives sont bordées par des bouquinistes qui, depuis le XVIe s., proposent un grand choix de livres d'occasion. Gravures et cartes postales y sont aussi en vente *(p. 122)*.

Montmartre
En arpentant les rues pentues de la Butte, vous ferez une promenade agréable. Bien que le célèbre quartier des artistes soit devenu extrêmement touristique, vous retrouverez son charme d'antan en parcourant les ruelles et placettes, à deux pas seulement de la place du Tertre *(p. 140-143)*.

Le Marais
Avec ses galeries d'art branchées, ses délicieux traiteurs et ses boutiques

Montmartre

de créateurs de mode et d'objets d'art, le Marais vous offrira une promenade des plus agréables, même si vous n'achetez rien. Le quartier est ponctué de magnifiques hôtels particuliers et d'une multitude de bars *(p. 84-87)*.

Jardin des plantes
Avec son jardin botanique, ses parterres fleuris, ses allées ombragées, son labyrinthe, ses serres tropicales et sa ménagerie, ce parc permet d'échapper à l'agitation de la capitale *(p. 129)*.

Jardin du Luxembourg
Napoléon l'appelait « le jardin des enfants ». Avec ou sans bambins, vous apprécierez ce lieu de promenade situé tout près du Quartier latin. Après avoir admiré le bassin octogonal et la fontaine Médicis, cherchez la miniature de la statue de la Liberté et les statues des reines de France *(p. 119)*.

Les passages
Ces galeries, couvertes d'une verrière, furent construites à la fin du XVIIIe s. afin de protéger les clients de la pluie. Situés principalement dans le IIe arrondissement, les passages abritent aujourd'hui toutes

sortes de boutiques et dégagent
une atmosphère surannée.
Les passages des Panoramas,
Jouffroy et Verdeau se suivent,
formant la plus longue galerie
de Paris. ✏ Plan H5.

8 Île Saint-Louis
Bien que vous puissiez
la traverser de bout en bout en
10 min, l'île Saint-Louis mérite
que l'on s'y attarde. Vous
découvrirez ainsi de superbes
boutiques d'objets d'art et
percevrez l'atmosphère huppée
de ce village enclavé (p. 68).

9 Bois de Boulogne
Le week-end, joignez-vous
aux Parisiens en manque de
verdure en allant vous détendre
dans ce parc de 850 ha.
Au sein du bois de Boulogne,
le parc de Bagatelle est
magnifique aux beaux jours,
avec sa collection de roses
parfumées et sa profusion
de fleurs diverses (p. 152).

Boulevard Saint-Germain

10 Boulevard Saint-Germain
Pour saisir l'ambiance
du Quartier latin, le mieux est
d'imiter les Parisiens en longeant
le boulevard Saint-Germain,
de préférence le dimanche en fin
de matinée. Pour conclure votre
promenade, offrez-vous un café
aux Deux Magots ou au Café
de Flore, célèbres pour avoir
été fréquentés par d'illustres
artistes et écrivains (p. 120).

Sports et activités

1 Marche
Paris étant une ville peu
étendue, vous pouvez y allier
tourisme et marche à pied.

2 À rollers
Une mode qui semble
vouloir durer. Les rollers se
faufilent entre les piétons,
mais aussi sur la chaussée.

3 À vélo
Filez aux bois de Boulogne
ou de Vincennes pour
échapper aux voitures ou
enfourchez un Vélib'® (p. 164).

4 Barque
Faites un peu d'exercice
en ramant sur les lacs
des bois de Boulogne
ou de Vincennes.

5 Jogging
Pour faire votre jogging
quotidien, rien ne vaut
les jardins parisiens.

6 Tennis de table
Des tables en béton sont
installées dans quantité de
parcs et de squares de la ville.

7 Bronzage
Un must sur les quais
de Seine, surtout pendant
« Paris Plages » du 20 juillet
au 20 août environ (p. 57).

8 Natation
Paris compte 38 piscines
publiques. Heures d'ouverture
réduites en période scolaire,
sauf au Forum des Halles.

9 Football
L'équipe de France fait de
jeunes émules dans les parcs
et rues de la capitale.

10 Terrasses des cafés
Détailler les passants
– et s'offrir à leurs regards –
est un sport très pratiqué par
les Parisiens et Parisiennes
aux terrasses de cafés.

Gauche **Café de Flore** Centre **La Closerie des Lilas** Droite **Café Marly**

🔟 Bars et restaurants

1 Café de Flore
Ce café, très prisé des artistes et des intellectuels à partir des années 1920, a accueilli, entre autres, Salvador Dalí et Albert Camus. Lors de la Seconde Guerre mondiale, Jean-Paul Sartre et Simone de Beauvoir y tenaient salon. Les prix ont grimpé en flèche mais son intérieur Art déco n'a pas changé et c'est toujours le lieu favori des réalisateurs et des gens de lettres *(p. 125)*.

2 Les Deux Magots
Aussi cher que son concurrent le Café de Flore, ce café était, au siècle dernier, l'autre lieu de rendez-vous de l'élite intellectuelle. Hemingway, Oscar Wilde, André Breton et Verlaine furent ses habitués. Picasso y rencontra sa muse Dora Maar en 1937. La terrasse donne sur le boulevard et la place Saint-Germain *(p. 125)*.

3 Le Petit Vendôme
C'est ici que vous dégusterez les meilleurs sandwichs de Paris, préparés

Les Deux Magots

avec l'excellent pain de la boulangerie primée Julien, accompagnés de jambon cru ou de fromage de chèvre. Le café sert aussi de bons plats chauds.
⊗ *8, rue des Capucines, 75002 • plan E3 • 01 42 62 05 88 • ferm. sam.-dim. • €.*

4 Café Marly
Idéalement situé dans l'aile Richelieu du Louvre *(p. 9)*, ce restaurant propose des plats de brasserie simples mais bien préparés (steaks, salades, tartare de bœuf, club-sandwichs), ainsi que des pâtisseries délicieuses. La salle aux fauteuils en velours offre un décor somptueux. Installez-vous à une table près de la fenêtre qui donne sur la pyramide. ⊗ *93, rue de Rivoli, 75001 • plan L2 • €€€.*

5 Café de la Paix
Ce lieu est grandiose et les prix sont en conséquence. Mais cela vaut la peine, ne serait-ce que pour admirer les fresques et le décor intérieur conçus par Charles Garnier – l'architecte de l'Opéra éponyme, de l'autre côté de la place *(p. 97)*. Ce café a lui aussi sa kyrielle de clients illustres. On y déguste l'un des meilleurs mille-feuilles de Paris.
⊗ *12, bd des Capucines, 75008 • plan E3.*

6 La Closerie des Lilas
Le restaurant est cher, mais en allant au bar vous vous imprégnerez de l'atmosphère d'un lieu historique où nombre d'artistes et d'écrivains, tels que

Baudelaire, Zola, Verlaine, Hemingway ou encore Gide, se désaltérèrent à partir de 1808. Cherchez leurs noms gravés sur le bar. La brasserie, animée par un pianiste, attire une clientèle chic *(p. 157)*.

7 Le Fumoir

Que ce soit pour observer les passants depuis la terrasse ou s'isoler avec un Martini et jouer au backgammon dans la confortable bibliothèque au fond de ce café-bar-restaurant situé près du Louvre, les raisons ne manquent pas de découvrir ce lieu.

Café de la Paix

Le chocolat chaud y est divin, les cocktails délicieux, et on y sert une cuisine d'influence italienne et suédoise.
⊗ *6, rue de l'Amiral-de-Coligny, 75001 • plan F4 • 01 42 92 00 24 • €€€€€.*

8 Chez Jeannette

Ce café situé près de la gare de l'Est a conservé son décor d'origine. C'est devenu l'un des endroits les plus branchés de Paris, comme en témoigne la foule amassée devant. À l'intérieur, les hauts plafonds, les miroirs et les box d'époque créent une ambiance animée. Les prix sont raisonnables.
⊗ *47, rue du Faubourg-Saint-Denis, 75010 • plan G2 • 01 47 70 30 89 • PAH.*

9 Café de l'Industrie

Sans prétention mais élégant, ce café de la Bastille comprend trois salles décorées de lances et de photos de stars de cinéma. Service non-stop de midi à minuit *(p. 92)*.

10 Bistrot Mélac

Jacques Mélac, le patron de ce bar à vins plein de caractère avec ses poutres et sa treille, est un amoureux du vin et de la cuisine de terroir (de l'Aveyron). Les vendanges de la treille du bar se déroulent le 2e sam. de septembre. ⊗ *42, rue Léon Frot, 75011 • métro Charonne • 01 43 70 59 27 • ferm. dim., lun., Pâques, août, dern. sem. de déc.*

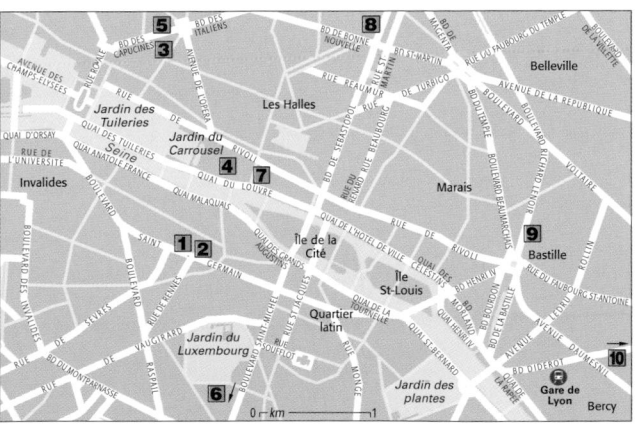

⮕ *Où manger à Paris* **p. 73**

Gauche **Au Printemps** Droite **Rue de Buci**

Boutiques et marchés

1 Marchés aux fleurs et aux oiseaux

L'île de la Cité abrite le plus ancien et le plus vaste marché aux fleurs de Paris. Il égaye le quartier qui va de la Conciergerie à l'Hôtel-Dieu tous les jours de l'année depuis 1808. Diverses plantes et arbustes sont en vente. Le dimanche, les oiseliers viennent remplacer les fleuristes. On trouve aussi des animaleries de l'autre côté de la Seine, sur la rive droite. ✆ *Pl. Louis-Lépine, 75004 • plan P4.*

2 Au Printemps

Ce grand magasin, l'un des plus connus de la capitale, existe depuis 1864. On y trouve des vêtements de grandes marques, mais aussi des enseignes de milieu de gamme, la mode branchée et des équipements ménagers. Au 6e étage, la brasserie est couverte d'une superbe verrière Art nouveau. ✆ *64, bd Haussmann, 75009 • plan E2.*

3 Galeries Lafayette

Le concurrent du Printemps ouvrit en 1894. L'édifice est surmonté d'une verrière splendide et la terrasse du 7e étage offre une vue magnifique. Outre la mode des créateurs, on y trouve un fabuleux choix gastronomique. ✆ *40, bd Haussmann, 75009 • plan E2.*

4 Marché de la Bastille

Le jeudi et le dimanche matin, ce marché s'installe à la limite du Marais et du quartier de la Bastille. Le dimanche, les habitants viennent y bavarder et acheter leurs produits frais – poisson, viande, pain et fromage. Certains commerçants proposent des spécialités nord-africaines et autres. ✆ *Bd Richard-Lenoir, 75011 • plan H5.*

Marché aux fleurs sur l'île de la Cité

5 Place de la Madeleine

Cette place est le paradis des gourmets. Les plus grands magasins d'alimentation de luxe de la capitale s'y sont regroupés, dont le célèbre Fauchon et son concurrent Hédiard. Vous trouverez également Maille pour la moutarde, Kaspia pour le caviar, la Marquise de Sévigné pour les chocolats, ainsi que la Maison de la truffe *(p. 98).*

6 Rue de Buci

On dit que Picasso venait ici le matin faire son marché, au cœur de Saint-Germain-des-Prés.

Sur les étals, les fruits et légumes sont d'excellente qualité. Plus intéressantes encore, les épiceries proposent plats régionaux et spécialités. Vous trouverez également des plats italiens et de succulentes pâtisseries. ✎ *Plan L4.*

7 Rue Mouffetard
Serpentant à travers le Ve arrondissement, cette rue très ancienne abrite un marché coloré du mardi au dimanche matin. Naguère marché de primeurs peu cher, il est devenu touristique tout en conservant son charme. La rue est bordée de boutiques et de restaurants de tous pays. Vous ferez également un bon repas dans l'un des restaurants de la rue piétonne du Pot-de-Fer. ✎ *Plan F6.*

8 Le Bon Marché
Doté d'une charpente métallique dessinée par Eiffel *(p. 17)*, le premier grand magasin de Paris ouvrit ses portes en 1852. C'est le plus chic de la capitale. Outre les vêtements de créateurs, Le Bon Marché propose sa propre ligne de mode masculine. L'immense Grande Épicerie vaut le détour. ✎ *22, rue de Sèvres, 75007 • plan D5.*

Marché aux puces de Saint-Ouen

9 Marché d'Aligre
Créé sur autorisation de l'abbé prieur de l'abbaye voisine, à condition que les produits soient abordables, ce marché proche de la Bastille conserve l'atmosphère du vieux Paris. Tous les matins sauf le lundi, les commerçants arabes, africains et autres bradent fripes et primeurs. On y trouve aussi une brocante *(p. 86)*. ✎ *Pl. d'Aligre, 75012 • plan H5.*

10 Marché aux puces de Saint-Ouen
Du samedi au lundi, le plus grand marché d'antiquités du monde s'anime. En réalité, il comprend plusieurs marchés distincts. Le plus ancien, Vernaison, est celui qui a conservé le plus de charme. Malik, lui, est spécialisé dans les vêtements, neufs et d'occasion. ✎ *Porte de Clignancourt, 75018 • métro Porte-de-Clignancourt.*

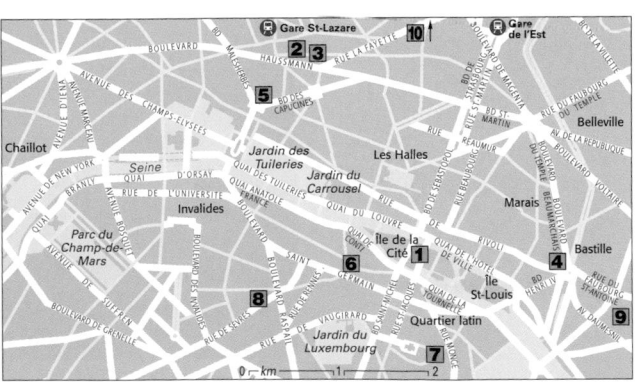

➤ *Les autres commerces de Paris* **p. 169**

Gauche **Fête du Cinéma** Droite **Tour de France**

🔟 Événements culturels

1 Nuit blanche

Inaugurée en 2002, la Nuit blanche attire 1 500 000 visiteurs chaque année. Grâce à des installations et des expositions proposées dans plusieurs quartiers de la ville toute la nuit, cet événement offre un regard nouveau sur Paris et a pour but de faire connaître l'art contemporain. 🌐 *1er w.-e. d'oct.*

2 Fête du Cinéma

Cette fête a lieu tous les ans au mois de juin. Après avoir payé la 1re séance au tarif plein, vous pouvez voir autant de films que vous voulez pendant sept jours, pour 3 €.
Le rêve de tout cinéphile !
🌐 *www.feteducinema.com*

3 Paris Jazz Festival

Les concerts de jazz ne manquent pas dans la capitale *(p. 62-63)*. Aux beaux jours, le Parc floral de Paris, au bois de Vincennes, accueille le plus grand festival de jazz de France : Paris Jazz Festival. Des musiciens du monde entier viennent y jouer *(p. 151)*. 🌐 *Juin-fin juil.* • *www.parcfloraldeparis.com*

4 Grandes Eaux nocturnes

C'est une véritable féerie des eaux, avec de splendides illuminations et installations au parc du château de Versailles, suivie d'un spectaculaire feu d'artifice tiré au-dessus du Grand Canal. 🌐 *Du 16 juin au 1er sept., sam. de 21h à 23h30. Feu d'artifices à 23h15.*

5 Tour de France

À la fin du mois de juillet, les coureurs arrivent sur les Champs-Élysées, au terme de la course cycliste la plus célèbre et la plus difficile au monde. Les concurrents passent le long du Louvre, longent les quais de Seine, parcourent la rue de Rivoli avant d'arriver, bien évidemment, sur les Champs-Élysées. Des milliers de supporters sont dans les rues pour acclamer les coureurs et découvrir le nouveau détenteur du maillot Jaune. 🌐 *www.letour.fr*

6 Festival d'Automne à Paris

Afin de promouvoir l'art contemporain sous toutes ses formes – danse, musique, cinéma, théâtre –, ce festival commande des créations et propose des spectacles destinés à des publics très divers. 🌐 *Mi-sept.-déc.*
• *www.festival-automne.com*

Paris Jazz Festival

7 Fête des Vendanges

L'Île-de-France fut l'un des plus grands producteurs viticoles du pays. Aujourd'hui, seules quelques centaines de mètres carrés de vignes subsistent à Montmartre *(p. 142)*. Ils produisent à peine 500 litres de vin, qui sont vendus au profit d'œuvres sociales. Les vendanges sont surtout l'occasion de faire la fête ! ◈ *1er ven. d'oct. (3 jours).*

8 Fête de la Musique

Pour célébrer le premier jour de l'été, musiciens professionnels et amateurs se produisent dans les rues de Paris. Les grands concerts se tiennent, entre autres, place de la République. Le mieux reste de se balader dans la ville et de s'arrêter au gré de vos envies dans des bars de quartier. ◈ *21 juin.*

9 Paris Plages

Lancée en 2002 par Bertrand Delanoë, le maire de Paris, cette manifestation qui recueille un immense succès transforme une partie des quais de Seine en succursale de Cannes, avec sable fin, chaises longues, parasols et palmiers. Différentes attractions sont proposées aux enfants. ◈ *4 sem. à partir du 20 juil. environ • www.paris.fr*

10 Mois de la photo

Paris vénère la photographie et chaque année paire, en novembre, la ville organise le Mois de la photo. Les galeries d'art, musées, boutiques, centres culturels et de nombreux autres lieux accueillent des expositions, ateliers et conférences afin d'aborder tous les aspects de cet art. Pour les passionnés de la photo, c'est le moment idéal pour visiter Paris. ◈ *Nov. • www.mep-fr.org*

Événements sportifs

1 Tour de France

La course cycliste se termine aux Champs-Élysées.

2 Prix de l'Arc de Triomphe

La plus célèbre course hippique du monde. ◈ *Hippodrome de Longchamp • 1er w.-e. d'oct.*

3 Internationaux de France de tennis

Le prestigieux tournoi de Roland Garros est l'un des quatre tournois du Grand Chelem. ◈ *Stade Roland Garros • fin mai-début juin.*

4 Gucci Masters

Concours pour les mordus de saut d'obstacles. ◈ *Parc des expositions de Villepinte • mars.*

5 Tournoi des six nations

L'équipe de France de rugby se mesure aux Anglais, Écossais, Irlandais, Gallois et Italiens. ◈ *Stade de France • fév.-mars.*

6 Marathon de Paris

Les coureurs font le tour de la ville sur 42 km. ◈ *Avr.*

7 Finale de la Coupe de France

Le grand événement du foot français. ◈ *Stade de France • mi-mai.*

8 Prix de Diane

Une course équestre très huppée. ◈ *Chantilly • 2e dim. de juin.*

9 Finale du Top 14

Les meilleurs rugbymen de France s'affrontent. ◈ *Stade de France • mai-juin.*

10 Grand Prix de patinage artistique

Le Trophée Éric Bompard est l'étape parisienne du Grand Prix I.S.U. ◈ *Palais omnisports de Paris-Bercy • nov.*

Paris thème par thème

154

Gauche **Le Lido** Centre **Le Crazy Horse** Droite **Théâtre de la Ville**

🔟 Se distraire à Paris

1 Opéra national de Paris-Garnier

Votre visite à l'Opéra – édifice grandiose avec son escalier d'honneur, ses miroirs et ses marbres – ne sera pas une soirée comme les autres *(p. 97)*. Cet établissement prestigieux, dont la scène peut accueillir 450 artistes, produit des opéras et des ballets.

2 Folies Bergère

Les Folies – le cabaret parisien par excellence – ne furent guère à leurs débuts qu'une troupe de danseuses très dévêtues. Aujourd'hui, les spectacles très variés rappellent la période faste où Maurice Chevalier et Joséphine Baker *(p. 63)* s'y produisaient.
⊗ *32, rue Richer, 75009*
• *plan F2* • *0892 68 16 50*
• *www.foliesbergere.com*

3 Le Lido

Les Bluebell Girls, célèbre troupe de danseuses aux jambes élancées, se firent connaître ici. Réputé pour ses ballets aériens, son orchestre et sa piste de danse, le Lido est une attraction typiquement parisienne.
⊗ *116 bis, av. des Champs-Élysées, 75008* • *plan D3* • *01 40 76 56 10*
• *www.lido.fr*

4 Moulin Rouge

Ici naquit le french cancan, dont les danseuses de la Belle Époque furent immortalisées par Toulouse-Lautrec. Les toiles du maître sont exposées au musée d'Orsay *(p. 13)*. Avec ses plumes et ses paillettes, le spectacle du Moulin Rouge a toujours le clinquant qui fascina tant le public dès 1889. Le dîner avant-spectacle est facultatif *(p. 142)*.

5 Le Crazy Horse

Plus osé que les autres grands noms du cabaret, le Crazy Horse a la réputation de créer les spectacles les plus professionnels et les plus sexy.

Ses danseuses de charme et leurs numéros de strip-tease sont mondialement connus. Ses jeux de lumière gérés par ordinateur sont sensationnels.
⊗ *12, av. George-V, 75008* • *plan C3* • *01 47 23 32 32* • *www. lecrazyhorseparis.com*

Folies Bergère

6 Le Cirque d'Hiver

Ce bâtiment vieux de 150 ans vaut le détour, ne serait-ce que pour sa façade. Il accueille le cirque Bouglione, ses trapézistes, ses clowns et ses dresseurs de tigres. ⊗ *110, rue Amelot, 75011* • *plan H3* • *01 47 00 28 81*
• *www.cirquedhiver.com*

Autres cabarets et clubs à Paris **p. 146**

7 Comédie-Française

Fondé en 1680, le plus ancien théâtre de Paris est toujours le seul à posséder une troupe permanente. Son répertoire va du classique au moderne, de Molière à Brecht. L'édifice actuel date du XVIIIe s. Une caisse spéciale située à droite du guichet principal vend, 45 min avant le lever du rideau, des places à tarif réduit aux jeunes de moins de 27 ans.

🅢 1, place Colette, 75001 • plan L1
• 0825 10 16 80 (+ 33 1 44 58 15 15 de l'étranger) • www.comediefrancaise.fr

8 Opéra national de Paris-Bastille

Annoncé comme le plus grand opéra du monde en 1992, ce bâtiment fut vivement critiqué pour son architecture et son acoustique. La plupart des problèmes sont aujourd'hui réglés et c'est le meilleur endroit pour assister à un opéra à Paris.

🅢 Pl. de la Bastille, 75012 • plan H5
• 0892 89 90 90 (+ 33 1 75 25 24 23 de l'étranger) • www.operadeparis.fr

9 Théâtre du Châtelet

Datant de 1862, c'est la plus grande salle de concert et le 4e auditorium de la ville. Elle propose concerts de musique classique, ballets et opéras, et de la musique de chambre le dimanche matin.

🅢 1, pl. du Châtelet, 75001 • plan N2 • 01 40 28 28 00 • www.chatelet-theatre.com

10 Théâtre de la Ville

Il était autrefois nommé « théâtre Sarah-Bernhardt » en hommage à la grande actrice qui s'y produisit et en assura la direction au XIXe s. On y voit des spectacles très divers – musique, danse moderne ou théâtre classique. 🅢 2, pl. du Châtelet, 75004 • plan N2 • 01 42 74 22 77 • www.theatredelaville-paris.com

Paris au cinéma

1 Les Enfants du paradis
Ce grand classique de Marcel Carné décrit la pègre parisienne en 1944.

2 French Cancan
Ce film célèbre de Jean Renoir (1954) raconte la naissance de la célèbre danse dans les cabarets de Montmartre.

3 Les 400 Coups
Ce film de François Truffaut (1959) montre un garçon fugant à travers les rues de Paris.

4 À bout de souffle
Godard, réalisateur de la Nouvelle Vague, filme un voleur en cavale joué par Jean-Paul Belmondo (1960).

5 Le Procès
Orson Welles utilisa la gare d'Orsay (actuel musée d'Orsay), alors désaffectée, comme décor pour son adaptation du roman de Kafka (1962).

6 Le Dernier Tango à Paris
Ce film de Bertolucci avec Marlon Brando fut très controversé à sa sortie (1972).

7 Subway
Un homme se réfugie dans le métro – lequel s'avère être le véritable héros de ce film de Luc Besson (1985).

8 Pigalle
Karim Dridi dénonce dans son film (1994) la sordide industrie du sexe à Pigalle.

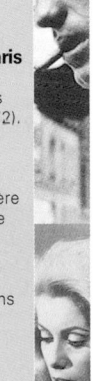

9 Amélie Poulain
L'héroïne du du film de Jean-Pierre Jeunet (2001) est serveuse à Montmartre.

10 Tout le monde dit : « I love you »
Dans ce film de 1996, Woody Allen a situé de nombreuses scènes autour de Notre-Dame et de la rive gauche.

Gauche **Grande galerie de l'Évolution** Droite **Jardin d'acclimatation**

TOP10 Paris avec des enfants

1 Disneyland Resort Paris
D'abord appelé EuroDisney, c'est la copie du parc à thème favori des Américains. Le parc accueille aussi le Walt Disney Studio, dédié au cinéma. Il y a des attractions pour tous les âges. Mais attendez-vous à de longues files d'attente ! (p. 151).

2 Parc de la Villette
La Cité des Sciences et de l'Industrie, musée des sciences interactif, est l'élément central du site. La Cité des Enfants, dédiée aux sciences et à la nature, s'adresse aux jeunes de 3 à 12 ans. Les petits adoreront également l'Argonaute – un véritable sous-marin qui a fait dix fois le tour du monde –,

Parc de la Villette

la Géode et son écran IMAX, et enfin, à l'extérieur, l'aire de jeux futuriste (p. 152).

3 Tour Eiffel
L'ascension au sommet laissera un souvenir mémorable à vos enfants (p. 16-17).

4 Grande galerie de l'Évolution
Conçue avec beaucoup d'imagination, c'est la partie la plus fascinante du Muséum d'histoire naturelle. Une savane reconstituée abrite éléphants, girafes et autres animaux empaillés. L'éclairage et les écrans interactifs permettent de comprendre l'évolution de la vie sur Terre. Les animaux disparus ont aussi leur section. Des ateliers sont organisés pour les enfants pendant les vacances scolaires (p. 129).

5 Musée de la Magie et des Automates
Les enfants adoreront ce musée dissimulé dans les caves voûtées de la demeure du marquis de Sade. Toutes les 30 min, un animateur montre tours de cartes et de magie et illusions d'optique en faisant participer le public. Le musée renferme des automates et des souvenirs de grands magiciens tels que Harry Houdini (1874-1926). ◎ *11, rue Saint-Paul, 75004 • plan R4 • 01 42 72 13 26 • ouv. mer., sam., dim. 14h-19h (t.l.j. pendant les vac. scol. sf juil. et août) • www.museedelamagie.com • EP.*

6 Parc Astérix

De nombreuses attractions, dont l'une des plus grandes montagnes russes d'Europe, un parc d'aventures et une réplique du village gaulois de la BD d'Albert Uderzo. ❧ *Plailly, 60128 • RER B jusqu'à Roissy CDG1, puis navette à l'arrêt de bus A3 • 0826 30 10 40 (+ 33 3 44 62 31 31 de l'étranger) • ouv. avr.-août . lun.- von. 10h-18h, sam.-dim. 9h30-18h ; sept.-oct. : sam.-dim. 10h-18h • www.parcasterix.fr • EP.*

7 Jardin d'acclimatation

Dans le bois de Boulogne *(p. 152)*, ce parc d'attractions propose divers manèges, promenades à poney, petit zoo et théâtre de Guignol. Le jardin est relié par un train électrique depuis la porte Maillot. ❧ *Bois de Boulogne, 75016 • plan A2 • ouv. t.l.j. 10h-19h (été), 10h-18h (hiver) • www.jardindacclimatation.fr • EP*

8 Grévin

Fondé en 1882, ce musée de personnages en cire conserve un charme suranné. Les jeunes admireront les vedettes de la musique pop et du cinéma, tandis que de superbes reconstitutions rappellent des événements historiques. ❧ *10, bd Montmartre, 75009 • plan F2 • ouv. lun.-ven. 10h-18h30, sam., dim. et vac. scol. 10h-19h (dern. entrée 1 h avant la ferm.) • EP.*

9 Jardin du Luxembourg

Ce parc abrite des courts de tennis et un terrain de jeux (payant). Spectacles de marionnettes, promenades à dos d'âne et bateaux à faire flotter sur le bassin ravissent les enfants. ❧ *75006 • plan F5 • ferm. à la tombée de la nuit.*

10 Parc des Buttes-Chaumont

Les enfants adorent les ponts suspendus, les cascades, les promenades à dos d'âne et les spectacles de marionnettes du plus haut parc de Paris *(p. 39)*. ❧ *75019 • plan H2 • ouv. t.l.j. 7h-22h (oct.-avr. 21h) • EG.*

Ascenseur de la tour Eiffel

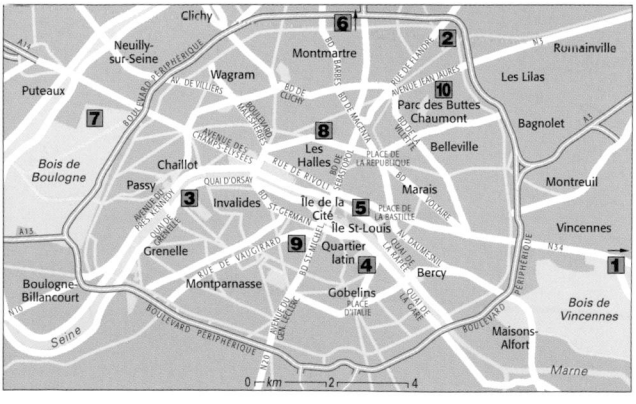

➤ *Hôtels pour les familles* **p. 179**

Gauche **Jazz Club Étoile** Centre **Au Duc des Lombards** Droite **Le Baiser Salé**

TOP 10 Clubs de jazz

1 Sunset-Sunside

Le club offre deux espaces aux amoureux du jazz. Le Sunset, dans les caves voûtées à l'acoustique idéale, est dédié au jazz électrique, à l'electrojazz et à la world music ; le Sunside, au rez-de-chaussée, au jazz acoustique. Ouvert sept jours sur sept, il offre deux concerts par soir. ◈ *60, rue des Lombards, 75004 • plan N2.*

2 Au Duc des Lombards

La rive gauche a beau être le berceau traditionnel du jazz, ce club a jeté l'ancre sur la rive droite de la Seine, dans le quartier des Halles *(p. 74-77)*. Depuis sa création, la politique de la maison est d'accueillir à la fois les meilleurs artistes américains et les talents locaux. ◈ *42, rue des Lombards, 75001 • plan N2.*

3 Le Baiser Salé

Jazz, blues, musiques latino et afro sont les standards de cette cave minuscule. Le Baiser salé a fait connaître la world music avant même que son nom ne soit inventé. Son approche éclectique crée une ambiance conviviale et détendue. Et ce club est moins cher que bien d'autres. ◈ *58, rue des Lombards, 75001 • plan N2.*

4 Caveau des Oubliettes

Le rez-de-chaussée abrite un pub, tandis que le petit club de jazz occupe la cave voûtée du XIIe siècle qui abrita une prison. Des groupes se produisent à partir de 22 h tous les soirs sauf le lundi. Il n'y a pas de droit d'entrée mais les consommations sont assez chères ◈ *52, rue Galande, 75005 • plan F5.*

5 Autour de midi et de minuit

Situé à mi-chemin de la Butte, ce club est venu enrichir les pentes de Montmartre d'un nouveau son jazz bienvenu. Il propose essentiellement du swing, mais aussi du jazz moderne, dans une cave voûtée. À l'étage, le bistro est excellent. ◈ *11, rue Lepic, 75018 • plan E1.*

Caveau de la Huchette

6 Jazz Club Étoile

Anciennement connu sous le nom de Jazz Club Lionel Hampton, le club propose une programmation éclectique : blues, rock et même gospel. Les musiciens afro-américains (Oscar Peterson et BB King ont notamment joué ici) fréquentent souvent le club. L'espace lounge du club propose un savoureux brunch jazzy tous les dimanches, très apprécié des familles. ◈ *Hôtel Le Méridien-Étoile, 81, bd Gouvion-St-Cyr, 75017 • plan A2.*

7 New Morning
La salle, qui peut accueillir 300 personnes, propose toutes sortes de musiques (jazz, blues, latino, soul et inclassables), sans parler des spectateurs invités à monter sur scène. ◈ *7-9, rue des Petites-Écuries, 75005 • plan F2.*

8 Le Petit Journal Montparnasse
Le club qui ne dort jamais ferme ses portes à 2 h pour rouvrir cinq heures après. Vous pouvez prendre un verre ou bien dîner au son de l'orchestre – souvent un big band de jazz, mais parfois aussi des formations de salsa, de blues ou de rock. L'été, la terrasse accueille des apéritifs jazz. ◈ *13, rue du Commandant-Mouchotte, 75014 • plan D6.*

9 Le Petit Journal St-Michel
Ce grand frère du club de Montparnasse existe depuis 1971. Cette cave du quartier latin est davantage orientée vers le swing de type New Orleans. L'ambiance est sympathique et le restaurant, tout près de la scène, est très agréable. ◈ *71, bd Saint-Michel, 75005 • plan M5.*

10 Caveau de la Huchette
Situé en plein cœur du Quartier latin, ce club mythique est incontournable. Ancien lieu de rendez-vous des templiers, on joue du jazz sous ses voûtes médiévales depuis 1947. Les fins de soirée sont plus swing, rock, soul ou disco. Au plaisir d'écouter s'ajoute celui de danser. ◈ *5, rue de la Huchette, 75005 • plan N4.*

Les artistes de music-hall à Paris

1 Édith Piaf
Découverte alors qu'elle n'était qu'une chanteuse des rues, elle fut surnommée « la môme Piaf » (1915-1963).

2 Maurice Chevalier
Le chanteur-acteur parisien (1888-1972) fut la voix française par excellence.

3 Django Reinhardt
Musicien français d'origine gitane (1910-1953), il se fit connaître comme guitariste à Paris, avec le violoniste Stéphane Grappelli.

4 Lionel Hampton
Le musicien américain (1909-2002) anima souvent les clubs de la rive gauche.

5 Sidney Bechet
Ce virtuose américain (1897-1959) s'installa dans les années 1940 à Paris où il composa *Les Oignons*.

6 Jacques Brel
Le grand chanteur et compositeur belge (1929-1978) arriva en 1953 à Paris. Le public adora ses chansons mélancoliques.

7 Stéphane Grappelli
Né à Paris, ce violoniste de formation classique (1908-1997) imposa son instrument dans la musique jazz.

8 Joséphine Baker
La danseuse noire américaine (1906-1975) devint célèbre en se produisant quasi nue aux Folies Bergère.

9 Miles Davis
Le trompettiste américain (1926-1991) fut très apprécié à Paris pour son jazz cool.

10 Coleman Hawkins
Le saxophoniste américain (1904-1969) joua beaucoup à Paris dans les années 1930.

Gauche **Guy Savoy** Centre **Le Jules Verne** Droite **Taillevent**

10 Où manger à Paris

1 L'Astrance
Les places sont chères dans cet excellent restaurant de 25 tables. Menu à 70 € à midi ou à 190 € le soir sous la baguette du jeune chef prodige Pascal Barbot. Réservez un mois à l'avance pour le déjeuner, deux mois pour le dîner. ❧ *4, rue Beethoven, 75016 • 01 40 50 84 40 • plan B4 • ferm. sam.-lun., fév. et août, 1re sem. d'oct. • PAH • €€€€€.*

2 Guy Savoy
La soupe d'artichaut à la truffe noire est l'une des spécialités proposées par Guy Savoy. Le restaurant est très guindé (le costume-cravate est de rigueur pour les hommes), mais c'est l'un des meilleurs de Paris *(p. 109)*. Les Bouquinistes

Brasserie Bofinger

(p. 127) permettent de découvrir la cuisine du célèbre chef à un prix plus abordable.

3 Les Papilles
Le cadre est simple – un bar à vins avec des tables en bois – mais la cuisine préparée par un ancien chef de chez Taillevent est très raffinée. Vous pourrez choisir un des vins vendus en magasin pour accompagner le menu d'un prix raisonnable *(p. 127)*.

4 Taillevent
Sa superbe salle aux boiseries de chêne est aussi bien fréquentée par les hommes d'affaires que par les couples d'amoureux. Son pigeon rôti à la sauge est un délice et sa carte des vins exceptionnelle. Réservez à l'avance pour dîner *(p. 109)*.

5 Le Jules Verne
Dirigé par le célèbre chef Alain Ducasse, ce restaurant est situé au 2e étage de la tour Eiffel. Dans un décor futuriste marron entièrement rénové, le menu, délicieux, propose des truffes en hiver. Le service est excellent et la vue est époustouflante. La réservation est obligatoire le soir *(p. 117)*.

6 Brasserie Bofinger
C'est l'une des plus vieilles brasseries de Paris (1864) et elle vaut le détour, ne serait-ce que pour son décor : marqueteries, verrières et banquettes en cuir.

Paris thème par thème

Les spécialités alsaciennes comprennent une délicieuse choucroute. ✪ 5-7, rue de la Bastille, 75004 • plan H5 • 01 42 72 87 82 • PAH • €€€€€.

Restaurant du Palais-Royal
Les arcades des jardins du Palais-Royal abritent l'une des plus paisibles terrasses de Paris. Vous y dégusterez d'excellents plats, tels les rognons de veau ou la daurade royale en croûte. La salle de restaurant rouge est particulièrement agréable et chaleureuse les jours de grand froid (p. 99).

Le Scheffer
Situé près de Chaillot, dans un quartier huppé de la capitale, Le Scheffer est un beau bistrot de quartier. Les plats sont délicieux, les serveurs aimables, l'ambiance agréable et les prix tout à fait raisonnables. Le mulet à la provençale est particulièrement réussi. Réservation conseillée (p. 139).

Le Voltaire
Petit restaurant discret en bord de Seine, Le Voltaire attire célébrités et hommes politiques grâce à sa cuisine française classique, dont un excellent steak-frites. ✪ 27, quai Voltaire, 75007 • plan E4 • 01 42 61 17 49 • ferm. dim.-lun., août • €€€€€.

L'Atelier de Joël Robuchon
Installez-vous au bar laqué de ce restaurant pour découvrir la cuisine contemporaine d'un excellent chef. Les plats phares sont le merlan Colbert et les pâtes carbonara à la sauce alsacienne. ✪ 5, rue de Montalembert, 75007 • plan E4 • 01 42 22 56 56 • €€€€€.

L'Atelier de Joël Robuchon

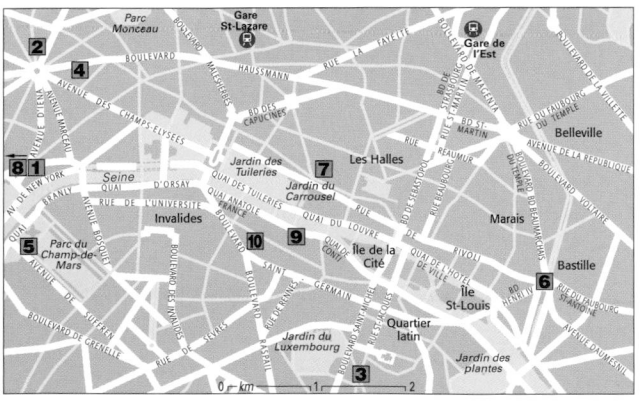

➤ Restaurants des îles Saint-Louis et de la Cité p. 73

VISITER PARIS

PARIS TOP 10

Gauche **Notre-Dame** Droite **Salle des Gens d'armes, Conciergerie**

Île de la Cité
et île Saint-Louis

Paris naquit sur l'île de la Cité. Les premiers habitants s'y installèrent au IIIe siècle av. J.-C. (p. 44). Au fil des siècles, cette langue de terre au milieu du fleuve devint le siège de l'Église et de l'État, représentés par Notre-Dame et le Palais de Justice. Elle symbolise en outre le cœur géographique de la ville : toutes les distances depuis Paris sont mesurées à partir d'un point situé sur le parvis de Notre-Dame. Alors que l'île de la Cité est littéralement envahie par les visiteurs, l'île Saint-Louis – de taille plus modeste, reliée à la première par un pont piétonnier – ressemble à un village. Depuis le XVIIe siècle, cette enclave est restée exclusivement résidentielle. Sa rue principale est bordée de boutiques, galeries et restaurants.

TOP 10 Les sites

1	Notre-Dame	6	Pont-Neuf
2	Sainte-Chapelle	7	Palais de Justice
3	Conciergerie	8	Place Dauphine
4	Marché aux fleurs	9	Saint-Louis-en-l'Île
5	Crypte archéologique	10	Square du Vert-Galant

Deux anges, Sainte-Chapelle

1 Notre-Dame
p. 18-21.

2 Sainte-Chapelle
p. 30-31.

3 Conciergerie

Cet imposant palais gothique, construit par Philippe le Bel entre 1301 et 1315, a une histoire très riche. Une partie de l'édifice fut transformée en prison et gardée par le concierge du Palais – d'où son nom. Ravaillac, l'assassin d'Henri IV, y fut torturé. Durant la Révolution, la Conciergerie devint synonyme de « terreur » : des milliers de citoyens y furent détenus en attendant d'être guillotinés. Aujourd'hui subsistent la magnifique salle voûtée des Gens d'armes, celle des Gardes, les cuisines médiévales, la chambre de torture, la tour Bonbec et la prison – dont le cachot de Marie-Antoinette. Une exposition retrace l'histoire des prisonniers célèbres de la Révolution. Depuis le quai, jetez un coup d'œil à la tour de l'Horloge érigée en 1370, qui abrita la première horloge publique de la ville, toujours en état de marche.

◎ 2, bd du Palais, 75001 • plan N3 • ouv. t.l.j. 9h30-18h ; fermé 1er janv., 1er mai, 25 déc. • EP.

4 Marché aux fleurs

Datant du début du XIXe s., ce marché aux fleurs est l'un des derniers du centre de la capitale et aussi le plus ancien. Tout au long de l'année, du lundi au samedi de 8 h

Façade de la Sainte-Chapelle

à 19 h, plantes et fleurs de la place Louis-Lépine transforment le nord de l'île de la Cité en paradis végétal. Le dimanche, le marché aux oiseaux et ses espèces rares prennent la relève (p. 54). ◎ Plan N3.

5 Crypte archéologique

En 1965, lors de la construction d'un parc de stationnement souterrain devant Notre-Dame, des vestiges fascinants remontant à l'époque gallo-romaine furent mis au jour. On peut ainsi contempler, dans la crypte, des murs romains du IIIe s., des salles chauffées par hypocauste (chauffage par le sol), ainsi que des restes de rues médiévales et de fondations. Illustrant l'évolution de la cité depuis ses origines celtes, les maquettes sont particulièrement intéressantes.

◎ Parvis Notre-Dame, 75004 • plan P4 • ouv. mar.-dim. 10h-18h • EP.

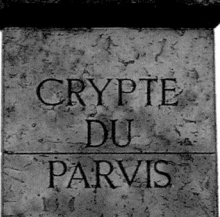

Crypte archéologique, détail

La guillotine

Le docteur Joseph Guillotin inventa cette machine afin de décapiter les condamnés de manière plus humaine. Elle fut utilisée pour la première fois en avril 1792. Pendant la Révolution, quelque 2 600 prisonniers furent ainsi exécutés sur les places du Carrousel, de la Concorde, de la Bastille et de la Nation.

Pont-Neuf

Un nom bien singulier pour le plus vieux pont de Paris, dont la construction fut terminée en 1607. Henri IV l'inaugura en le traversant au galop sur son destrier. La statue équestre du souverain fut fondue pendant la Révolution, puis remplacée en 1818. Décoré d'étonnantes têtes sculptées, le pont se distinguait également par l'absence d'habitations. Il mesure 275 m de long et ses douze arches sont réparties de part et d'autre de l'île. ✎ Plan M3.

Palais de Justice

S'étendant sur toute la largeur de la partie occidentale de l'île, le Palais de Justice appartenait, avec la Conciergerie, au Palais de la Cité – siège du pouvoir romain et demeure royale jusqu'en 1358. Ayant acquis son nom actuel durant la Révolution, il abrite aujourd'hui les tribunaux de la capitale. Vous pouvez assister à une audience du lundi au vendredi dans les zones accessibles au public. Sous la Terreur, les condamnés traversaient la cour du Mai – ainsi nommée parce que les clercs y plantaient un arbre chaque année – pour être emmenés à la guillotine (p. 42). ✎ 4, bd du Palais, 75001 • plan M3 • ouv. lun.-ven. 8h30-18h, sam. 9h30-18h • EG.

Place Dauphine

En 1607, Henri IV transforma l'ancien jardin royal en une place triangulaire dédiée à son fils, le dauphin et futur roi Louis XIII. Il la fit border de maisons en brique et en pierre blanche. L'une des rares maisons qui ait conservé son aspect d'origine se trouve au n° 14. Un côté de la place fut détruit afin d'agrandir le Palais de Justice. Aujourd'hui, ce lieu, étonnamment paisible malgré sa proximité avec le Palais de Justice, est idéal pour faire une pause gourmande (p. 51). ✎ Plan M3.

Le Pont-Neuf et le square du Vert-Galant

Sculpture du Palais de Justice

Saint-Louis-en-l'Île
9 Cette superbe église baroque fut bâtie entre 1664 et 1726 sur les dessins de l'architecte royal Louis Le Vau. À l'extérieur, une horloge (1741) fait saillie sur la rue, telle une enseigne. L'intérieur, richement orné de marbre et de dorures, abrite une statue de Saint Louis portant l'épée des croisés.
❦ *19 bis, rue Saint-Louis-en-l'Île, 75004 • plan Q5 • ouv. mar.-dim. 9h-13h, 14h-19h30.*

Square du Vert-Galant
10 Sur la pointe ouest de l'île de la Cité, ce paisible jardin ombragé, qui supporte l'un des piliers du Pont-Neuf, fut nommé ainsi en raison de la réputation volage d'Henri IV, dont une statue équestre se dresse là où un escalier descend dans le square. De l'extrémité du jardin, vous avez une vue magnifique du Louvre *(p. 8-11)* et de la rive droite. C'est également d'ici que l'on peut embarquer sur l'une des Vedettes du Pont-Neuf *(p. 165).* ❦ *Plan M3.*

Une journée sur les îles

Le matin

🕐 Rendez-vous sur le parvis de **Notre-Dame** *(p. 18-21)* vers 8 h pour admirer la cathédrale sans la foule, puis dirigez-vous vers le marché aux fleurs. Outre des plantes, vous y trouverez toutes sortes de graines. Si vous voulez vous rendre en haut des tours de Notre-Dame, allez-y à 10 h pour l'ouverture. Prenez ensuite un café au **Flore en l'Île** *(p. 73)* pour profiter de la vue sur la cathédrale.

Consacrez ensuite 30 min à la fascinante **crypte archéologique**. Finissez la matinée par la **Sainte-Chapelle** *(p. 30-31)*, lorsque le soleil traverse les vitraux.

Pour le déjeuner, vous avez l'embarras du choix. S'il fait beau, essayez **La Rose de France** *(p. 73)*, en terrasse.

L'après-midi

📍 Passez tranquillement l'après-midi à flâner dans les rues étroites de l'île Saint-Louis, qui regorgent de boutiques et de galeries *(p. 72)* et appréciez cette balade paisible loin de l'animation de la capitale.

☕ Terminez la balade chez **Berthillon**, réputé être le meilleur glacier de France *(p. 73)*. Avec plus de 70 parfums – de la vanille au whisky en passant par tous les fruits imaginables –, le plus difficile sera de choisir. Mais vous aurez le temps, car il y aura inévitablement la queue, surtout aux beaux jours. Le salon de thé est ouvert de 10 h à 20 h.

Gauche **Pylones** Centre **Librairie Ulysse** Droite **Boulangerie des Deux-Ponts**

🔟 Boutiques

1 L'Épicerie du Terroir
Cette épicerie fine regorge de produits français tous plus alléchants les uns que les autres. Moutardes, huiles d'olive, vins et douceurs sont élaborés par des petits producteurs. Les prix sont raisonnables. ✆ *10, rue Jean-du-Bellay, 75004 • plan P4.*

2 La Petite Scierie
Le foie gras et le confit de canard sont les spécialités de la maison, mais vous trouverez également toutes sortes de succulents produits provenant de la ferme des propriétaires. ✆ *60, rue Saint-Louis-en-l'Île, 75004 • plan G5 • 01 55 42 14 88 • ferm. mar.-mer.*

3 Librairie Ulysse
Envie de bouger ? Cette librairie originale vous emmènera loin avec ses milliers de livres de voyages consacrés à toutes les destinations, y compris Paris. ✆ *26, rue Saint-Louis-en-l'Île, 75004 • plan Q5 • ferm. sam.-lun.*

4 Calixte
Croissants délicieux, terrines et desserts irrésistibles : pour déjeuner sur le pouce ou s'offrir une pause gourmande. ✆ *64, rue Saint-Louis-en-l'Île, 75004 • plan Q5.*

5 Clair de Rêve
C'est l'endroit idéal pour trouver un cadeau original : marionnettes, robots ou théâtres miniatures. ✆ *35, rue Saint-Louis-en-l'Île, 75004 • plan Q5.*

6 Alain Carion
Vous trouverez ici météorites, fossiles et minéraux. Certains ont été transformés en bijoux créatifs. ✆ *92, rue Saint-Louis-en-l'Île, 75004 • plan Q5 • ferm. dim.-lun.*

7 Pylones
Caoutchouc et métal peint sont les matières premières de ces bijoux et accessoires loufoques. ✆ *57, rue Saint-Louis-en-l'Île, 75004 • plan Q5.*

8 Boulangerie des Deux-Ponts
L'odeur du pain cuit au feu de bois de cette boulangerie à l'ancienne est irrésistible ! ✆ *35, rue des Deux-Ponts, 75004 • plan Q5 • ferm. mer.-jeu., août.*

9 Arche de Noé
C'est l'endroit idéal pour trouver un cadeau pour un enfant. Quelques beaux jouets anciens. ✆ *70, rue Saint-Louis-en-l'Île, 75004 • plan Q5.*

10 La Ferme Saint Aubin
Des fromages de toutes sortes provenant de la France entière. ✆ *76, rue Saint-Louis-en-l'Île, 75004 • plan Q5 • ferm. lun.*

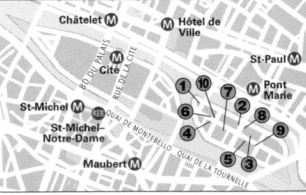

Autres boutiques à Paris **p. 169**

Catégories de prix

Pour un repas avec entrée, plat et dessert, une demi-bouteille de vin, taxes et service compris.

€ moins de 30 €
€€ 30 à 40 €
€€€ 40 à 50 €
€€€€ 50 à 60 €
€€€€€ plus de 60 €

Gauche **La Rose de France** Droite **Taverne Henri IV**

🔟 Où manger

Visiter Paris – Île de la Cité et île Saint-Louis

1 Isami
L'un des meilleurs restaurants japonais de Paris avec un choix important de sushis. Pensez à réserver. ◈ 4, quai d'Orléans, 75004 • plan P5 • 01 40 46 06 97 • ferm. dim. midi, lun., 3 sem. en août , 2 sem. à Noël • PAH • €€€€.

2 Le Fin Gourmet
Coquilles Saint-Jacques aux échalotes, veau et pommes au four figurent au menu de cet excellent restaurant situé dans un bâtiment du XVIIe s. Vous dînerez aux chandelles le soir. ◈ 42, rue Saint-Louis-en-l'Île, 75004 • plan Q5 • 01 43 26 79 27 • ferm. lun., mar. • PAH • €€€.

3 Spring
Le chef américain Daniel Rose propose un menu imposé qui change tous les jours, avec des produits frais du marché. Réservation indispensable. ◈ 6, rue Bailleul, 75001 • plan M2 • 01 45 96 05 72 • €€€€€.

4 Le Petit Plateau
Vous dégusterez dans ce petit salon de thé de délicieuses salades, des quiches et des gâteaux faits maison. ◈ 1, quai aux Fleurs, 75004 • plan G5 • 01 44 07 61 86 • ferm. dim. et sam. en hiver • PAH • €.

5 Brasserie de l'Île St-Louis
Le cadre rustique s'accorde aux plats alsaciens, comme les tripes au riesling. ◈ 55, quai de Bourbon, 75004 • plan P4 • 01 43 54 02 59 • ferm. mer., août • PAH • €€€.

6 La Rose de France
La terrasse est charmante, la salle chaleureuse. ◈ 24, pl. Dauphine, 75001 • plan M3 • 01 43 54 10 12 • €€.

7 Taverne Henri IV
Une très belle carte des vins pour accompagner charcuteries et fromages. ◈ 13, pl. du Pont-Neuf, 75001 • plan M3 • 01 43 54 27 90 • ferm. dim., août • €€.

8 Mon Vieil Ami
Un décor chic et des plats raffinés comme le foie gras. ◈ 69, rue Saint-Louis-en-l'Île, 75004 • plan Q5 • 01 40 46 01 35 • ferm. lun., mar., janv., août • PAH • €€€€.

9 Le Flore en l'Île
Ce bistrot-salon de thé ouvert jusqu'à 1 h du matin séduira vos papilles. ◈ 42, quai d'Orléans, 75004 • plan P5 • 01 43 29 88 27 • PAH • €€.

10 Berthillon
Ce célèbre glacier et salon de thé ne désemplit jamais, sauf en août, lorsqu'il est fermé ! ◈ 31, rue Saint-Louis-en-l'Île, 75004 • plan G5 • 01 43 54 31 61 • ferm. lun.-mar., 1 sem. en fév. et à Pâques, août.

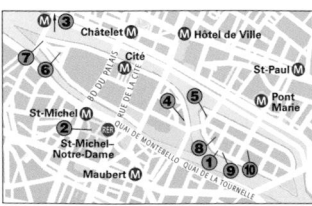

Gauche **Fontaine, place Igor-Stravinski** Centre **La mode aux Halles** Droite **Forum des Halles**

Beaubourg et Les Halles

L e quartier Beaubourg, animé, regorge de galeries d'art et de cafés. Depuis la construction du centre Georges-Pompidou, il est littéralement assiégé par les visiteurs venus des quatre coins de la planète. Ce gigantesque symbole de l'architecture moderne est un vrai pôle d'attraction : il est le 5e site parisien le plus visité et le 10e de France. Les Halles – surnommées « le ventre de Paris » par le romancier Émile Zola – alimentèrent Paris pendant 800 ans. Des pavillons couverts d'une verrière abritaient les étals des bouchers, poissonniers et marchands des quatre-saisons. En 1969, le marché de gros fut démoli et transféré à Rungis afin de réduire le trafic. Malheureusement, il fut remplacé par des commerces sans âme : le Forum des Halles, qui doit être entièrement repensé prochainement. Quelques bistrots et boutiques d'alimentation rappellent encore l'ancien quartier.

Le Défenseur du Temps

Les sites

1. Centre Georges-Pompidou
2. Forum des Halles
3. Saint-Eustache
4. Bourse du commerce
5. *Le Défenseur du Temps*
6. Fontaine des Innocents
7. Saint-Merri
8. Saint-Germain-l'Auxerrois
9. Musée de la Poupée
10. Tour Saint-Jacques

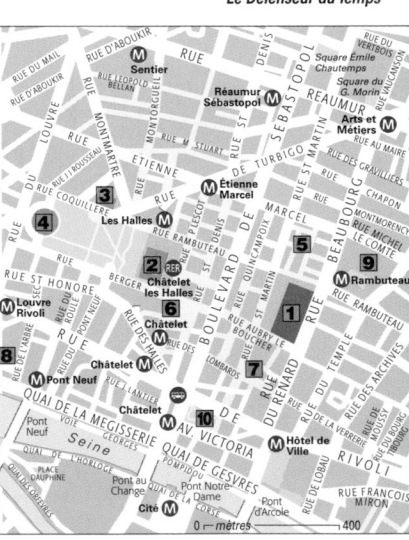

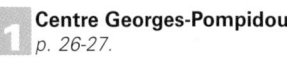

1 Centre Georges-Pompidou
p. 26-27.

2 Forum des Halles

Dix ans après la destruction du marché de gros, le trou des Halles fut comblé par un centre commercial très controversé. Ce labyrinthe, en grande partie souterrain, renferme des magasins de vêtements et de musique. En surface, les jardins fourmillent d'artistes de rue, de jeunes et de visiteurs (à éviter la nuit). Sur la terrasse supérieure, des bâtiments vitrés abritent la Maison de la poésie et le Pavillon des arts, qui accueillent des expositions temporaires. L'architecte David Mangin conduit son total réaménagement qui doit être terminé d'ici 2016-2017. ◈ Plan N2.

3 Saint-Eustache

Avec ses arcs-boutants majestueux, Saint-Eustache est l'une des plus belles églises de Paris *(p. 40)*. Érigé en 105 ans (1532-1637), cet édifice à l'ossature gothique fut décoré intérieurement dans le style Renaissance. Son plan reflète l'influence de Notre-Dame *(p. 18-21)* : doubles bas-côtés, chœur entouré de chapelles, etc. Les vitraux furent réalisés en 1631 d'après des cartons attribués à Philippe de Champaigne. Vous admirerez le tombeau de Jean-Baptiste Colbert (1619-1683) et, dans une chapelle Saint-Joseph, une sculpture naïve du XXe s. illustrant le déménagement des Halles. ◈ 2, impasse Saint-Eustache, 75001 • plan M1 • ouv. lun.-ven. 9h30-19h, sam.-dim. 10h-19h • EG.

4 Bourse du commerce

L'édifice circulaire de la Bourse des marchandises fut érigé en 1763 en tant que halle au blé, puis remanié au XIXe s. D'abord recouverte de bois, sa coupole fut remplacée par des structures en fer puis en cuivre. La verrière actuelle protège des bureaux de la Chambre de commerce et d'industrie de Paris. Vous admirerez à l'intérieur un beau double escalier du XVIIIe siècle. ◈ 2, rue de Viarmes, 75001 • plan M1 • ouv. lun.-ven 8h30-18h (papiers d'identité demandés à l'entrée).

Visiter Paris – Beaubourg et Les Halles

Église Saint-Eustache

Georges Pompidou

Georges Pompidou (1911-1974) succéda au général de Gaulle à la présidence de la République. Au cours de son mandat, de 1969 jusqu'à sa mort, il lança de nombreux projets architecturaux dans Paris, notamment celui du centre Pompidou, très controversé au départ. La démolition des Halles, elle, ne lui valut aucune popularité.

Le Défenseur du Temps

L'horloge publique la plus récente de Paris se trouve dans le quartier commerçant dit « de l'Horloge ». Créée par Jacques Monastier en 1979, la sculpture à automates, faite de cuivre et d'acier, mesure 4 m de haut et pèse 1 t. Toutes les heures, dans un vacarme assourdissant, le Défenseur repousse de son épée l'un des trois monstres symbolisant l'air, l'eau et la terre. À midi, 18 h et 22 h, il affronte les trois à la fois (quand l'horloge fonctionne). *Rue Bernard-de-Clairvaux, 75003 • plan P2.*

Fontaine des Innocents

Le square des Innocents, qui jouxte les Halles, sert de lieu de rendez-vous aux jeunes et attire de nombreux artistes de rue. Il fut aménagé au XVIIIe s. à l'emplacement d'un cimetière, dont les quelque 2 millions d'ossements humains furent transférés dans les catacombes de Denfert-Rochereau. Au centre se dresse la seule fontaine Renaissance de Paris, conçue par Pierre Lescot et sculptée par Jean Goujon en 1547. Adossée à l'origine à un mur de la rue Saint-Denis, elle fut complétée par une quatrième face lors de son transfert dans le square *(p. 39)*. *Angle rues Saint-Denis et Berger, 75001 • plan N2.*

Saint-Merri

Autrefois l'église des banquiers lombards, Saint-Merri fut construite entre 1520 et 1612 dans un style gothique flamboyant. Elle doit son nom à saint Médéric, qui fut enterré sur ce site au début du VIIIe s. La cloche de la tour nord-ouest, considérée comme la plus ancienne de la capitale, date de 1331. Elle appartint à la chapelle qui se dressait auparavant au même endroit. Vous admirerez la façade ouest, le buffet d'orgue du XVIIe s., les superbes vitraux et les boiseries. *76, rue de la Verrerie, 75004 • plan P2 • ouv. t.l.j. 12h-18h45 • EG.*

Saint-Germain-l'Auxerrois

Lorsque les Valois s'installèrent au palais du Louvre au XIVe s. *(p. 8)*, Saint-Germain-l'Auxerrois devint l'église de la famille royale. Le 24 août 1572,

Église Saint-Germain-l'Auxerrois

ses cloches donnèrent le signal du massacre de la Saint-Barthélemy, durant lequel des milliers de huguenots venus à Paris pour le mariage d'Henri de Navarre et de Marguerite de Valois *(p. 20)* périrent. Cet édifice comprend différents styles architecturaux, de sa façade gothique flamboyant à son chœur Renaissance, ainsi que des sculptures contemporaines. Venez le dimanche après-midi pour assister à une audition d'orgue.
◉ *2, pl. du Louvre, 75001 • plan M2 • ouv. lun.-sam. 8h-19h, dim. 9h-20h • EG.*

Musée de la Poupée
Ce musée possède une magnifique collection de 300 poupées, dont une grande partie, en biscuit de porcelaine, a été fabriquée à la main entre 1850 et 1950. Les poupées des principaux fabriquants allemands et français sont exposées. Les poupées endommagées peuvent être soignées par une spécialiste dans une « clinique » prévue à cet effet.
◉ *Impasse Berthaud, 75003 • plan P2 • ouv. mar.-dim. 10h-18h • ferm. j.f. • EP.*

Tour Saint-Jacques
Construite en 1523, cette tour de style gothique tardif est l'ancien clocher de Saint-Jacques-de-la-Boucherie, qui fut l'une des plus grandes églises médiévales de Paris et le point de départ des pèlerins pour Saint-Jacques-de-Compostelle. Au XVIIe s., le physicien Blaise Pascal y pratiqua des expériences sur la pesanteur. Après la Révolution, l'église fut détruite. On peut visiter les étages inférieurs de la tour et se promener dans les jardins situés à ses pieds.
◉ *39, rue de Rivoli, 75004 • plan N3.*

Une journée aux Halles

Le matin

🕐 Allez au **centre Georges-Pompidou** *(p. 26-27)* dès l'ouverture, car le musée d'Art moderne est vaste et mérite que l'on prenne son temps. De plus, l'une des expositions temporaires pourrait vous intéresser. Si vous avez soif après ce bain de culture, allez chez

🍽 **Georges**, la brasserie chic du dernier étage, qui offre un splendide panorama. En quittant le centre Pompidou, tournez à droite pour rejoindre le quartier de l'Horloge et y découvrir le combat acharné que mène à midi le *Défenseur du Temps*.

Si vous avez réservé, vous pouvez déjeuner au bistrot

🍽 **Benoît** *(p. 81)* datant de 1912. Son menu est bien moins cher à midi. Après le déjeuner, allez visiter l'église **Saint-Merri**.

L'après-midi

En vous dirigeant vers les Halles, passez devant la **fontaine des Innocents**. Visitez également l'église **Saint-Eustache** *(p. 75)*, autrefois fréquentée par les vendeurs de l'ancien marché. Si vous voulez faire les boutiques, le

🛍 **Forum des Halles** *(p. 75)* est immense mais l'endroit manque de charme.

Pour vous reposer, arrêtez-vous à la Tour de Montlhéry, plus connue sous le nom

🍽 de **Chez Denise** *(p. 81)*. C'est bondé à midi, mais, en fin d'après-midi, vous trouverez peut-être une place pour goûter à la fameuse marguerite aux fraises.

Gauche **Le Cochon à l'Oreille** Droite **Sculpture devant l'église Saint-Eustache**

🔟 Les Halles d'hier

1 Le Cochon à l'Oreille
Ce bar du début du XXe s. aux murs décorés de fresques ne dispose que d'une petite salle à manger. Réservation à l'avance indispensable. ✆ *15, rue Montmartre, 75001 • plan F3.*

2 Au Pied de Cochon
Cette brasserie ouverte 24h/24 prépare les recettes traditionnelles qu'affectionnaient les marchands des Halles, tels les pieds de porc *(p. 81)*.

3 Sculpture de Saint-Eustache
Dans la chapelle Saint-Joseph, *Le Départ des fruits et légumes du cœur de Paris, 28 février 1969* – sculpture aux couleurs vives de Raymond Mason – rend hommage au marché disparu.

4 Rue Montorgueil
Rappelant les anciennes Halles, le marché qui se tient dans la rue pavée (mardi et dimanche) est fréquenté par de nombreux chefs parisiens. ✆ *plan N1.*

5 Stöhrer
C'est l'une des plus belles pâtisseries anciennes de Paris (1730). Pour savourer babas au rhum et puits d'amour. ✆ *51, rue Montorgueil, 75002 • plan N1.*

6 Bistrot d'Eustache
On se croirait dans un club de jazz des années 1930-1940. Les plats sont à un prix raisonnable et il y a un orchestre les vendredis et samedis. ✆ *37, rue Berger, 75001 • plan N2.*

7 La Fresque
Ce merveilleux restaurant était auparavant un poissonnier, et une mosaïque d'origine décore toujours la salle du fond. ✆ *100, rue Rambuteau, 75001 • plan N1.*

8 Dehillerin
Depuis 1820, les cuisiniers de l'armée, tout comme les grands chefs, viennent acheter ici leurs ustensiles. ✆ *18, rue Coquillière, 75001 • plan M1.*

9 Duthilleul et Minart
Ce magasin vend des vêtements de travail depuis plus d'un siècle, de la toque de chef à la blouse d'horloger. Des idées de cadeau inédites. ✆ *14, rue de Turbigo, 75001 • plan P1.*

10 La Cloche des Halles
Autrefois, la cloche en bronze de ce bar à vins carillon-nait pour signaler l'ouverture et la fermeture du marché *(p. 81)*.

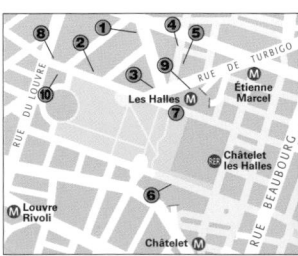

Gauche **Un bar parisien typique** Centre **Le Sous-Bock** Droite **Au Trappiste**

TOP 10 Bars

1 Le Sous-Bock
Une bonne adresse pour manger des moules, que l'on peut arroser avec un choix de 200 bières et 40 whiskies.
Ⓢ *49, rue Saint-Honoré, 75002 • plan M2.*

2 Quigley's Point
En face de l'église Saint-Eustache, ce pub irlandais propose un large choix de bières que l'on peut boire en terrasse.
Ⓢ *5, rue du Jour, 75001 • plan M1.*

3 Hall's Beer Tavern
Cette taverne agréable et accueillante propose une bonne sélection de bières-pression, notamment La Chouffe et Duvel.
Ⓢ *68, rue Saint-Denis, 75001 • plan N2.*

4 Le Bogman
L'ancien Gobelet d'argent a changé de nom et d'adresse, mais a conservé l'atmosphère typique d'un pub irlandais avec jeu de fléchettes et bières. Musique *live* tous les mardis.
Ⓢ *11, rue du Cygne, 75001 • plan N1.*

5 The Frog and Rosbif
Pour les amateurs du mode de vie anglais : véritable *ale* (brassée au sous-sol), *fish and chips*, journaux britanniques et retransmissions en direct de matches de foot et de rugby à la télévision.
Ⓢ *116, rue Saint-Denis, 75002 • plan F3.*

6 McBrides
Idéal pour regarder un match de foot, ce bar des sports irlandais attire les expatriés en mal du pays grâce à son petit déjeuner typique servi à midi. Concert le dimanche soir.
Ⓢ *54, rue Saint-Denis, 75001 • plan F4 • 01 40 26 46 70.*

7 Au Trappiste
Les nombreuses bières à la pression comprennent la Jenlain – une française – et la Hoegaarden – une belge.
Ⓢ *4, rue Saint-Denis, 75001 • plan F3.*

8 Guinness Tavern
Ce pub propose 14 bières pression, de la musique *live* tous les soirs et un concert irlandais chaque mois. L'ambiance décolle vraiment à partir de 22 h. Ⓢ *31 bis, rue des Lombards, 75001 • plan N2.*

9 Café Oz
Un grand choix de vins et bières australiens ou plus classiques. Le décor australien de ce bar très animé séduit autant les expatriés venus des antipodes que les Français.
Ⓢ *18, rue Saint-Denis, 75001 • plan F3.*

10 La Taverne de Maître Kanter
Une chaîne de tavernes alsaciennes qui propose bières et nourriture françaises.
Ⓢ *16, rue Coquillière, 75001 • plan F3.*

➲ *Autres cafés et bars* p. 52-53

Ci-dessus **Architecture des anées 1970 au Forum des Halles**

TOP 10 Les Halles et l'histoire

1 Période romaine
Un marché s'installe sur la rive droite de la Seine, au lieu-dit Les Champeaux.

2 Xe siècle
Sur ce site aujourd'hui appelé Les Halles se tient un marché plus important proposant viandes, fruits et légumes.

3 1183
Le roi Philippe Auguste fait agrandir le marché en installant des abris pour les commerçants près de l'église Saint-Eustache *(p. 75)*. Cette date marque la création des Halles en tant que marché de la ville.

4 Années 1850
Ayant déclaré ce marché vital pour Paris, Napoléon III fait édifier douze immenses halles en fer vitrées pour l'abriter.

5 1965
La circulation autour du marché étant devenue trop problématique, la construction d'un nouveau marché débute à Rungis, en banlieue sud. Les Halles sont transférées en 1969.

6 1971
Le fameux « trou des Halles » est creusé afin de créer des tunnels routiers, une gare de RER et le Forum.

7 Milieu des années 1970
Des jardins sont aménagés à la surface, en même temps que les commerces souterrains, permettant de voir enfin les édifices environnants.

8 1977
Avec l'ouverture du Forum des Halles, le site retrouve une activité effrénée. Cependant, les marchandises ne sont plus les mêmes : mode, bijoux, restauration rapide, etc.

9 1986
La seconde tranche du Forum est terminée, inaugurant le plus grand complexe commercial et de loisirs de la capitale.

10 2004
Pour donner un nouveau souffle au quartier, une vaste opération de rénovation est confiée à l'architecte David Mangin. La fin des travaux est prévue pour 2016-2017.

Église Saint-Eustache

Autres boutiques à Paris **p. 169**

Catégories de prix

Pour un repas avec entrée, plat et dessert, une demi-bouteille de vin, taxes et service compris.

€ moins de 30 €
€€ 30 à 40 €
€€€ 40 à 50 €
€€€€ 50 à 60 €
€€€€€ plus de 60 €

Ci-dessus **Au Pied de Cochon**

10 Où manger

1 Dans le noir
Dans ce restaurant plongé dans l'obscurité, les serveurs sont non-voyants : à découvrir ! ◈ 51, rue Quincampoix, 75001 • plan F4 • 01 42 77 98 04 • ferm. à midi le w.-e. 24 déc. • PAH • €€€.

2 Au Pied de Cochon
Connu dans le monde entier ! Il propose des abats, mais vous pouvez opter pour les huîtres. ◈ 6, rue Coquillière, 75001 • plan M1 • 01 40 13 77 00 • ouv. 24h/24 • €€€.

3 Benoît
La cuisine de l'élégant bistrot du chef Alain Ducasse mérite une étoile au *Michelin*, mais le service est irrégulier. ◈ 20, rue Saint-Martin, 75004 • plan P1 • 01 42 72 25 76 • ferm. août • PAH • €€€€€

4 L'Ambassade d'Auvergne
Des plats auvergnats à base de porc et de chou. Tout le monde mange à la même table. ◈ 22, rue du Grenier-Saint-Lazare, 75003 • plan P1 • 01 42 72 31 22 • ferm. dim., lun., mi-juil. à mi-août • PAH • €€.

5 Tour de Montlhéry, Chez Denise
Dans ce restaurant classique, les portions de viande gigantesques sont légendaires. Réservation obligatoire. ◈ 5, rue des Prouvaires, 75001 • plan N2 • 01 42 36 21 82 • ferm. sam.-dim., mi-juil. à mi-août • €€€€.

6 Le Grizzli
Les plats de ce bistrot typiquement parisien sont simples mais délicieux. ◈ 7, rue Saint-Martin, 75004 • plan P1 • 01 48 87 77 56 • PAH • €€.

7 Café Beaubourg
La terrasse de cet endroit branché donne sur le centre Pompidou. Le tartare de bœuf est la spécialité de la maison. ◈ 100, rue Saint-Merri, 75004 • plan P2 • 01 48 87 63 96 • PAH • €€.

8 La Cloche des Halles
Un bistrot simple où vous pouvez dîner de fromage et de viande froide. ◈ 28, rue Coquillière, 75001 • plan M1 • 01 42 36 93 89 • ferm. sam. soir, dim., 3 sem. en août • €.

9 Restaurant Georges
La vue de ce restaurant au design épuré, situé au 6e étage du centre Pompidou, est à couper le souffle. ◈ Centre Pompidou, 19, rue Beaubourg, 75004 • plan G4 • 01 44 54 52 00 • ferm. mar. • €€€€.

10 Le Hangar
À côté du centre Pompidou, ce bistrot chaleureux est bien connu des habitants du quartier qui raffolent de sa cuisine exceptionnelle – foie gras, tartare et moelleux au chocolat. ◈ 12, impasse Berthaud, 75003 • plan G4 • 01 42 74 55 44 • ferm. dim.-lun. • €€€.

Remarque : sauf indication contraire, les restaurants acceptent tous les cartes de paiement et proposent des plats végétariens.

Gauche **Place des Vosges, plaque** Centre **Place de la Bastille** Droite **Maison de Victor Hugo**

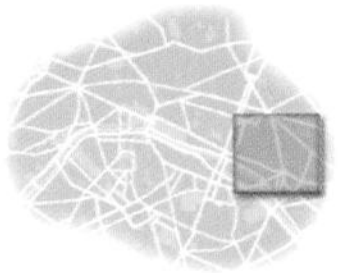

Le Marais et la Bastille

Avec ses hôtels particuliers, ses ruelles médiévales et ses musées, le Marais est souvent considéré comme le plus beau quartier de Paris. C'était pourtant un marécage jusqu'à ce qu'Henri IV décide de créer la place Royale (actuelle place des Vosges). Quant au quartier de la Bastille, il tomba dans l'oubli après avoir été le symbole de la Révolution. C'est aujourd'hui l'un des quartiers les plus vivants le soir.

TOP 10 Les sites

1. Musée Picasso
2. Musée Cognacq-Jay
3. Place des Vosges
4. Musée Carnavalet
5. Place de la Bastille
6. Marché d'Aligre
7. Passages
8. Rue de Lappe
9. Maison européenne de la photographie
10. Maison de Victor Hugo

Un passage à la Bastille

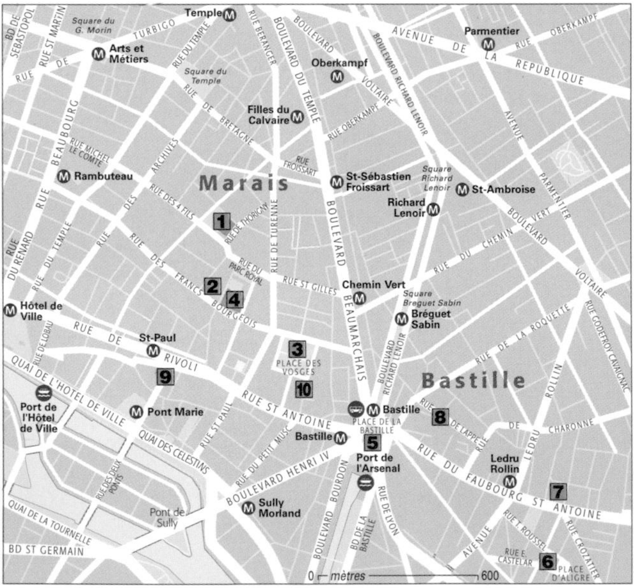

Double page précédente **Notre-Dame vue depuis la Seine**

Musée Picasso

À la mort de Pablo Picasso en 1973, des milliers d'œuvres furent données à l'État français en règlement des droits de succession. Ainsi les Parisiens bénéficient-ils de la plus importante collection du monde de l'artiste d'origine espagnole. Situé dans l'hôtel Salé (p. 90), le musée retrace l'évolution du peintre, de ses périodes bleue et rose au cubisme, et montre combien il excellait dans les techniques et avec les matériaux les plus divers (p. 36).

✪ 5, rue de Thorigny, 75003 • plan R2
• ferm. pour travaux jusqu'à l'été 2013
• www.musee-picasso.fr • EP.

Musée Cognacq-Jay

Cet admirable petit musée illustre le style de vie sophistiqué des Français au siècle des Lumières, courant philosophique né à Paris. Ces œuvres d'art et meubles du XVIIIe s. constituaient autrefois la collection privée d'Ernest Cognacq et de sa femme, Louise Jay, qui fondèrent la Samaritaine. Les pièces sont magnifiquement mises en valeur à l'hôtel Donon qui date de la fin du XVIe s. (p. 35). ✪ 8, rue Elzévir, 75003
• plan Q3 • ouv. mar.-dim. 10h-18h
• www.cognacq-jay.paris.fr • EG sauf lors des expositions temporaires.

Place des Vosges

Cette place est à la fois la plus ancienne de la capitale et l'une des plus belles du monde. Le site fut utilisé pour les tournois, jusqu'à ce qu'Henri IV décide d'y construire une place. Formant une symétrie parfaite avec ses 36 pavillons en brique et en pierre et ses toits en ardoise percés d'œils-de-bœuf, elle fut inaugurée en 1612. Bien qu'elle eût été conçue à l'origine pour accueillir les ouvriers d'une manufacture de soie, le cardinal de Richelieu (1585-1642) et Molière (1622-1673) s'y installèrent rapidement. Aujourd'hui, visiteurs et Parisiens peuvent profiter de cette place bordée de galeries d'art sous les arcades. ✪ Plan R3.

Musée Carnavalet

Consacré à l'histoire de Paris, ce musée occupe deux demeures contiguës : l'hôtel Carnavalet (XVIe s.) et l'hôtel Le Peletier de Saint-Fargeau (XVIIe s.) Le premier fut habité de 1677 à 1696 par Mme de Sévigné, la célèbre épistolière, à qui une salle est dédiée. Ce vaste musée montre, entre autres, les intérieurs parisiens de diverses époques et des objets ayant appartenu à Voltaire et Rousseau (p. 34).
✪ 23, rue de Sévigné, 75003
• plan R3 • ouv. mar.-dim. 10h-18h
• www.carnavalet.paris.fr • EG pour les collections permanentes.

Place de la Bastille

La célèbre place est toujours noire de circulation. À l'origine, la Bastille fut une forteresse

Musée Cognacq-Jay

Le quartier juif

Une communauté juive, établie au XIIIe s. autour des rues des Rosiers et des Écouffes, accueillit des immigrants à partir de la Révolution. De nombreux juifs, qui avaient fui les persécutions en Europe de l'Est, furent arrêtés à Paris durant l'occupation nazie. Après la Seconde Guerre mondiale, des séfarades arrivèrent d'Afrique du Nord.

construite par Charles V pour défendre l'est de la ville. Cependant, elle fut rapidement utilisée pour incarcérer les prisonniers politiques. Le 14 juillet 1789, les citoyens, excédés par les abus de la monarchie, s'emparèrent de la prison *(p. 45)*, marquant ainsi le début de la Révolution. Ce symbole de l'oppression fut détruit. À la place se dresse aujourd'hui la colonne de Juillet – monument en bronze de 52 m de haut surmonté du *Génie de la Liberté* –, érigée en souvenir des victimes des révolutions de 1830 et 1848. À l'arrière-plan se trouve l'Opéra-Bastille, l'un des plus grands opéras du monde. Il fut inauguré en 1989 à l'occasion du bicentenaire de la Révolution. ◈ *Plan H5.*

6 Marché d'Aligre
Autour d'un ancien clocher, ce marché rassemble des Parisiens de tous milieux et de toutes origines. Créé en 1643, il fut autrefois aussi important que celui des Halles *(p. 75)*. Dans la partie couverte, vous trouverez des produits de choix tels que du faisan ou du sanglier. À l'extérieur, les commerçants nord-africains proposent des marchandises plus exotiques. Quant au marché aux fripes, il remonte à l'époque où les nonnes venaient distribuer de vieux vêtements aux pauvres *(p. 55)*. ◈ *Pl. d'Aligre • plan H5 • ouv. sam. jusqu'à 13h, dim. jusqu'à 14h.*

7 Passages
Dès le XVe s., le quartier de la Bastille fut occupé par les artisans du bois et de l'ameublement. Dans les passages – petites allées typiques –, on voit encore travailler quelques ébénistes et tapissiers. Tout au long du faubourg Saint-Antoine, vous trouverez des meubles de toutes sortes, de l'armoire d'époque

Rue de Lappe

aux créations les plus design. Mais n'oubliez pas d'explorer les passionnants passages tout proches, tel celui de l'Homme. De nombreux artistes et artisans ont installé leur atelier dans ces ruelles aux allures villageoises. ◈ Plan H5.

8 Rue de Lappe
Connue pour ses bals musettes dans les années 1930, la rue de Lappe est toujours très animée après la tombée de la nuit grâce à ses bars, ses clubs et ses restaurants. La rue, ainsi que les rues perpendiculaires de la Roquette et de Charonne, sont fréquentées par une foule de noctambules en quête de distractions. ◈ Plan H5.

9 Maison européenne de la photographie
Ce superbe musée dédié à la photographie contemporaine d'Europe s'installa en 1996 dans une ancienne demeure du XVIIIe s, l'hôtel Hénault de Cantobre, restauré et complété par des éléments modernes. Il abrite une collection permanente ainsi que des expositions temporaires, issues de ses archives, incluant le multimédia.
◈ 5-7, rue de Fourcy, 75004 • plan Q3 • ouv. mer.-dim. 11h-20h • www.mep-fr.org • EP ; EG mer. après 17h et - 8 ans.

10 Maison de Victor Hugo
De 1832 à 1848, le célèbre écrivain (1802-1885) vécut au 2e étage de l'hôtel de Rohan-Guéméné – le plus grand pavillon de la place des Vosges. Victor Hugo y rédigea une grande partie des Misérables (p. 46). En 1903, cette maison devint un musée retraçant la vie du grand homme.
◈ 6, pl. des Vosges, 75004 • plan R4 • ouv. mar.-dim. 10h-18h • ferm. j.f. • www.musee-hugo.paris.fr • EP.

Une journée dans le Marais

Le matin

🕐 Commencez par le **musée Carnavalet** (p. 85) pour avoir le temps d'admirer les collections et le jardin. Marchez ensuite jusqu'à la **place des Vosges** et faites-en le tour sous les arcades. Depuis le centre du jardin, vous aurez une belle vue d'ensemble.

Prenez un café à **Ma Bourgogne** (19, pl. des Vosges ; 01 42 78 44 64). Visitez ensuite la **maison de Victor Hugo**, avant de vous rendre à l'angle sud-ouest de la place. Poussez une porte en bois qui débouche sur le joli jardin de l'**hôtel de Béthune-Sully** (p. 90). Marchez ensuite jusqu'à la place de la Bastille.

🍽 Vous pouvez déjeuner à la **brasserie Bofinger** (p. 64), à l'ambiance si parisienne.

L'après-midi

Sur la **place de la Bastille** (p. 85), la circulation est un véritable cauchemar. Prenez tout de même le temps d'admirer la colonne et de vous remémorer les événements qui se déroulèrent du temps de la fameuse prison. Faites le tour de la place et prenez la rue du Faubourg-Saint-Antoine, commerçante et branchée. Pénétrez dans quelques passages pour voir les ébénistes et autres artisans dont les ateliers sont vieux de plusieurs siècles.

D'ici, vous n'êtes pas loin de la gare de Lyon, où vous pourrez dîner sous les lustres et les fresques du **Train Bleu** (20, bd Diderot ; 01 43 43 09 06).

Gauche **Isabel Marant** Droite **Antoine et Lili**

🔟 Boutiques

1 Izraël
Ce minuscule magasin contient toutes les épices imaginables et les meilleurs produits des quatre coins de la Terre : viande, fromage, vin, rhum, dattes, miel, moutarde. ⊗ *30, rue François-Miron, 75004 • plan P3.*

2 BHV
Des outils de bricolage aux sous-vêtements chic, le Bazar de l'Hôtel de Ville, grand magasin généraliste, élégant, offre un vaste choix de produits. ⊗ *52-54, rue de Rivoli, 75004 • plan F4.*

3 Antoine et Lili
Originaux et éclectiques, des vêtements pour femmes d'inspiration tzigane et orientale, réalisés dans des tissus naturels très colorés. ⊗ *51, rue des Francs-Bourgeois, 75004 • plan O3.*

4 Autour du Monde
Vêtements et objets de déco du styliste Bensimon. Les tennis en toile pour enfants et adultes sont un classique. ⊗ *8 et 12, rue des Francs-Bourgeois, 75003 • plan G4.*

5 Florence Kahn
La boutique à la façade en mosaïque bleue propose des spécialités yiddish dont 47 pâtisseries différentes ! ⊗ *24, rue des Écouffes, 75004 • plan Q3.*

6 Fleux
Ce magasin de décoration très parisien sélectionne des meubles et des objets

contemporains originaux. ⊗ *39, rue Sainte-Croix-de-la-Bretonnerie, 75004 • plan P2.*

7 Isabel Marant
Cette styliste, aujourd'hui connue à l'extérieur de Paris, conçoit des vêtements élégants et branchés. ⊗ *16, rue de Charonne, 75004 • plan H5.*

8 Sessùn
Le magasin est la vitrine de la jeune marque de prêt-à-porter féminin. Des vêtements et des accessoires chic et provocants. ⊗ *30, rue de Charonne, 75011 • plan H5.*

9 Le Moulin de Rosa
Cette boulangerie traditionnelle n'utilise que des farines bio. Les pâtisseries, délicieuses, suivent les saisons. ⊗ *32, rue de Turenne, 75004 • plan R3 • ferm. dim., lun., août.*

10 Emery & Cie
Cette décoratrice crée des carrelages, des lampes, des tissus et du mobilier. ⊗ *18, passage de la Main-d'Or, 75011 • plan H5.*

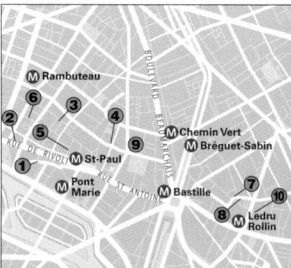

➡ *Autres boutiques à Paris* **p. 169**

Gauche **The Red Wheelbarrow** Centre **À la Petite Fabrique** Droite **L'Arbre à lettres**

🔟 Boutiques spécialisées

1 The Red Wheelbarrow
S'il vous prend l'envie de peaufiner votre anglais, cette petite librairie située face à la faculté d'anglais vous comblera. ❧ *22, rue Saint-Paul, 75004 • plan R4.*

2 Mariage Frères
Cette célèbre maison de thé a été fondée en 1854 et vend toutes sortes de mélanges parfumés ainsi que des accessoires pour le thé. ❧ *6, rue du Bourg-Tibourg, 75004 • plan I15.*

3 La Chaiserie du Faubourg
Dans le quartier occupé depuis des siècles par les artisans du meuble, ce réparateur de chaises perpétue la tradition. ❧ *26, rue de Charonne, 75004 • plan H5.*

4 Pasta Linea
Découvrez les plats de pâtes faites maison avec des farines bio, à emporter ou à déguster sur place. ❧ *9, rue de Turenne, 75004 • plan G4.*

5 Filofax
Non, l'agenda électronique n'a pas encore complètement supplanté le bon vieil organiseur ! Recharges, stylos et accessoires de bureau. ❧ *32, rue des Francs-Bourgeois, 75004 • plan R3.*

6 L'Art du bureau
C'est la boutique pour les amoureux du bureau : des objets design, à la fois beaux et utiles. À découvrir, pour le simple plaisir des yeux… ❧ *47, rue des Francs-Bourgeois, 75004 • plan R3.*

7 L'Arbre à lettres
Beaux-arts, littérature et sciences humaines sont mis à l'honneur dans cette superbe librairie. ❧ *62, rue du Faubourg-Saint-Antoine, 75004 • plan H5.*

8 À l'Olivier
Depuis 1822, ce magasin vend toutes sortes d'huiles et notamment de délicieuses huiles d'olive ainsi que de savoureux produits provençaux. ❧ *23, rue de Rivoli, 75004 • plan H5.*

9 Papeterie Saint-Sabin
Les papeteries parisiennes sont décidément inimitables. Vous trouverez ici de superbes cahiers et stylos. ❧ *16, rue Saint-Sabin, 75011 • plan H4.*

10 À la Petite Fabrique
Non seulement vous pouvez acheter du chocolat sous toutes ses formes, mais vous pouvez aussi voir comment il est fabriqué. ❧ *12, rue Saint-Sabin, 75011 • plan H4.*

Gauche **Hôtel de Sens** Centre **Hôtel de Soubise** Droite **Hôtel de Lamoignon**

TOP 10 Hôtels particuliers

1 Hôtel de Coulanges
Cette magnifique demeure date du début du XVIIIe s., hormis l'aile droite, construite au XVIIe s. ✪ *35, rue des Francs-Bourgeois, 75004 • plan Q2 • ouv. pour les concerts seul.*

2 Hôtel Salé
Édifié entre 1656 et 1659 pour Aubert de Fontenay, contrôleur des gabelles (d'où le nom de l'hôtel), l'hôtel accueille le musée Picasso *(p. 85).*

3 Hôtel Guénégaud
Conçu par l'architecte François Mansart au milieu du XVIIe s., ce splendide hôtel abrite le musée de la Chasse et de la Nature. ✪ *60, rue des Archives, 75003 • plan P3 • ouv. mar.-dim. 11h-18h • EP.*

4 Hôtel de Beauvais
Le jeune Mozart joua dans cette maison bâtie au XVIIe s. pour la femme de chambre d'Anne d'Autriche. Observez le balcon décoré de têtes de chèvres. ✪ *68, rue François-Miron, 75011 • plan P3 • ferm. au public.*

5 Hôtel de Béthune-Sully
L'hôtel du XVIIe s. appartint au duc de Sully, ministre d'Henri IV. C'est le siège du Centre des monuments histo-riques. ✪ *62, rue Saint-Antoine, 75011 • plan R4 • ferm. au public sf jardins • EP.*

6 Hôtel de Sens
L'un des rares édifices civils médiévaux subsistant à Paris : Marguerite de Valois y vécut

(p. 20). L'hôtel abrite aujourd'hui une bibliothèque. ✪ *1, rue Figuier, 75004 • plan Q4 • ferm. au public.*

7 Hôtel de Saint-Aignan
La façade extérieure banale cache une magnifique demeure qui renferme le musée d'Art et d'Histoire du judaïsme. ✪ *71, rue du Temple, 75003 • plan P2 • ouv. lun.-ven. 11h-18h, dim. 10h-18h • www.mahj.org • EP.*

8 Hôtel de Soubise
Avec l'hôtel de Rohan qui le jouxte, cet édifice du XVIIe s. renferme les Archives nationales. ✪ *60, rue des Francs-Bourgeois, 75011 • plan Q2 • ouv. mar.-ven. 10h-12h30, 14h-17h30, sam.-dim. 14h-17h30. • EP.*

9 Hôtel de Lamoignon
Édifié en 1584 pour la fille d'Henri II, il est orné de frontons admirables. ✪ *24, rue Pavée, 75004 • plan Q3 • ouv. 9h30-18h (extérieur).*

10 Hôtel de Marle
Ce bel hôtel du XVIe s. abrite le Centre culturel suédois. ✪ *11, rue Payenne, 75003 • plan G4 • ouv. mar.-dim. 12h-18h • ferm. mi-juil.-mi-août.*

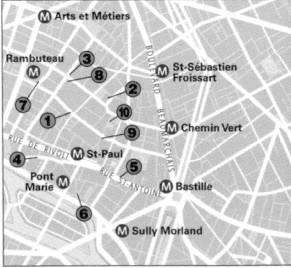

➡ *Autres monuments historiques à Paris* p. **42-43**

Gauche **Galerie Patrick Seguin** Centre **Galerie Lavignes-Bastille** Droite **Galerie Durand-Dessert**

Galeries et ateliers

1 Galerie Marian Goodman
Cette galerie new-yorkaise expose, entre autres, les œuvres de l'artiste Jeff Wall et du vidéaste Steve McQueen.
⌖ 79, rue du Temple, 75003 • plan P2 • ouv. mar.-sam. 11h-19h • ferm. août.

2 Galerie Akié Arichi
Les expositions éclectiques (photographie, sculpture, peinture) sont souvent influencées par l'Asie. ⌖ 26, rue Keller, 75011 • plan H5 • ouv. mar.-sam. 14h30-19h.

3 Galerie Alain Gutharc
Elle est consacrée aux jeunes artistes contemporains.
⌖ 7, rue Saint-Claude, 75003 • plan H4 • ouv. mar.-sam. 11h-13h, 14h-19h.

4 Galerie Daniel Templon
Une galerie de renommée internationale, qui accueille des grands noms de l'art moderne et de l'art contemporain, et de la photographie. ⌖ 30, rue Beaubourg, 75003 • plan P2 • ouv. lun.-sam. 10h-19h.

5 Galerie Karsten Greve
Sculpture, peinture et photographie contemporaine sont exposées dans cette galerie renommée. ⌖ 5, rue Debelleyme, 75003 • plan R2 • ouv. mar.-sam. 10h-19h.

6 Galerie Patrick Seguin
La galerie est spécialisée dans le mobilier et les créations du XXe s., dus à des maîtres comme Le Corbusier et Prouvé.
⌖ 5, rue des Taillandiers, 75011 • plan H4 • ouv. mar.-sam. 10h-19h.

7 Galerie Lavignes-Bastille
La galerie propose de la figuration narrative, de l'Op Art, ainsi que des créations de jeunes artistes.
⌖ 27, rue de Charonne, 75011 • plan H5 • ouv. mar.-sam. 14h-19h.

8 Galerie Liliane et Michel Durand-Dessert
L'espace, une ancienne usine, offre ses 2 000 m2 à l'art contemporain. Il y a aussi une librairie. ⌖ 28, rue de Lappe, 75011 • plan H5 • ouv. mar.-dim. 11h-18h • EP.

9 Galerie Yvon Lambert
Les expositions – art contemporain, photographie et installations – se succèdent dans cette galerie réputée.
⌖ 108, rue Vieille-du-Temple, 75003 • plan Q1 • ouv. mar.-sam. 10h-19h • www.yvon-lambert.com

10 Galerie Nikki Diana Marquardt
Des œuvres politiquement orientées, sur tous supports.
⌖ 9, pl. des Vosges, 75004 • plan R3 • ouv. lun.-ven. 13h-18h.

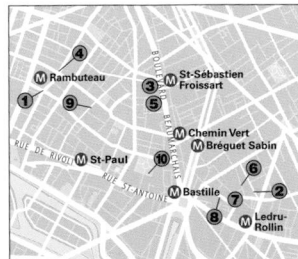

Gauche **Barrio Latino** Droite **Pop In**

🔟 Rendez-vous branchés

1 Zéro Zéro
Avec ses lambris et son papier peint à fleurs, c'est le bar « le plus cool de Paris ». Les cocktails sont une spécialité de la maison. ✆ *89, rue Amelot, 75011 • plan H4.*

2 Andy Wahloo
Ancien hôtel particulier d'Henri IV, ce bar à la décoration pop art et orientale accueille les soirées les plus branchées de la ville. ✆ *69, rue des Gravilliers, 75003 • plan Q1.*

3 Barrio Latino
Un immense club d'inspiration latine, avec tapas, restaurant et bonne musique. ✆ *46-48, rue du Faubourg-Saint-Antoine, 75012 • plan H5.*

4 Bataclan
Artistes français et internationaux se produisent sur la scène du Bataclan. Le bar adjacent sert des bières et des repas. ✆ *5, bd Voltaire, 75011 • plan H4.*

5 Pop In
Ambiance conviviale, boissons bon marché, personnel accueillant, déco bohème chic et DJ funky, ce bar a tout pour plaire. Ouvert le dimanche. ✆ *105, rue Amelot, 75011 • plan H4.*

6 Café de l'Industrie
Ce café à la mode comprend trois salles aux murs ornés de peintures, photos anciennes et objets divers. La nourriture abordable est plutôt bonne. Plus l'heure avance, plus l'ambiance se réchauffe *(p. 53).* ✆ *16, rue Saint-Sabin, 75011 • plan H4.*

7 Clown Bar
Ce bar à la mode est rempli d'objets liés au monde du cirque. La carte des vins est excellente et le personnel qualifié. ✆ *114, rue Amelot, 75011 • plan H4.*

8 Panic Room
Les DJ parisiens les plus en vue officient dans ce bar atypique. Cocktails originaux et piste de danse en sous-sol. ✆ *101, rue Amelot, 75011 • plan H4.*

9 Square Trousseau
Ce bistrot branché dans le quartier de la Bastille possède une jolie terrasse chauffée. ✆ *1, rue Antoine-Vollon, 75012 • plan H5.*

10 SanZSanS
Bar branché, club et restaurant ouvert tard dans la nuit. On y sert des tapas du mer. au sam. ✆ *49, rue du Faubourg-Saint-Antoine, 75011 • plan H5.*

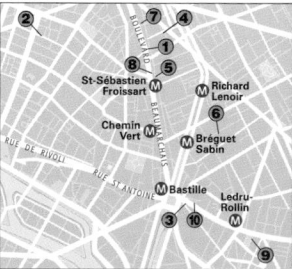

Catégories de prix

Pour un repas avec entrée, plat et dessert, une demi-bouteille de vin, taxes et service compris.
€ moins de 30 €
€€ 30 à 40 €
€€€ 40 à 50 €
€€€€ 50 à 60 €
€€€€€ plus de 60 €

Gauche **La Gazzetta**

Où manger

1 L'Ambroisie
Le service raffiné est à la hauteur des plats. La carte des vins est renommée et la tarte au chocolat divine. Rés. conseillée. ⚅ *9, pl. des Vosges, 75004 • plan R3 • 01 42 78 51 45 • ferm. dim., lun. • €€€€€.*

2 Gli Angeli
Un des meilleurs restaurants italiens de Paris. Le carpaccio et le tiramisu sont inimitables. ⚅ *5, rue Saint-Gilles, 75003 • plan R3 • 01 42 71 05 80 • PAH • €€€.*

3 Pâtisserie Carette
Cette pâtisserie-salon de thé, sur la place des Vosges, sert des salades, des sandwichs et de délicieux gâteaux. ⚅ *25, pl. des Vosges, 75003 • plan G4 • 01 48 87 94 07 • ferm. lun. • €.*

4 Au Vieux Chêne
Caché dans une petite rue, ce bistrot est un vrai régal : les classiques de la cuisine française ont une touche de modernité. ⚅ *7, rue Dahomey, 75011 • 01 43 71 67 69 • ferm. sam., août • €€€.*

5 La Gazzetta
Dégustez des plats inventifs et contemporains – gibier, polenta et feuilles de pissenlit, dans une salle Art déco. ⚅ *29, rue de Cotte, 75012 • plan H5 • 01 43 47 47 05 • ouv. mar.-sam., dim. • €€.*

6 Breizh Café
Cette crêperie plusieurs fois récompensée propose une version modernisée des crêpes bretonnes. ⚅ *109, rue Vieille-du-Temple, 75003 • plan G4 • 01 42 72 13 77 • ferm. lun.-mar. • €€.*

7 Le Baron Rouge
Viandes froides et assiettes de fromages dans un cadre authentique. ⚅ *1, rue Théophile-Roussel, 75012 • plan H5 • 01 43 43 14 32 • ferm. lun., dim. soir • €.*

8 Chez Paul
Ce vieux bistrot propose un menu simple mais toujours délicieux. Réservation conseillée. ⚅ *13, rue de Charonne, 75011 • plan H5 • 01 47 00 34 57 • PAH • €€.*

9 Unico
Installé dans une ancienne boucherie, ce restaurant argentin sert les meilleurs steaks de Paris. ⚅ *15, rue Paul-Bert, 75011 • plan H4 • 01 43 67 68 08 • ferm. dim. • €€€€.*

10 L'As du Fallafel
La meilleure adresse pour les fallafels. Le « spécial » à l'aubergine est un must ! ⚅ *34, rue des Rosiers, 75004 • plan Q3 • 01 48 87 63 60 • ferm. ven. soir, sam. • €.*

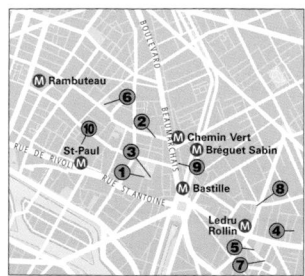

Gauche **Musée du Louvre** Centre **Café Marly, Louvre** Droite **Musée de la Mode et du Textile**

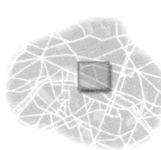

Les Tuileries et l'Opéra

*C*es deux quartiers furent le lieu de résidence de la famille royale et de la haute société. Celui des Tuileries avec son magnifique jardin à la française aux sculptures contemporaines comprend le Louvre, tandis que le second tient son nom du magnifique Opéra de Paris. La place de la Concorde est également un site chargé d'histoire.

Les sites

1. Musée du Louvre
2. Rue de Rivoli
3. Place de la Concorde
4. Jardin des Tuileries
5. Musée des Arts décoratifs
6. Musée Art nouveau
7. Palais-Royal
8. Place Vendôme
9. Opéra Garnier
10. Place de la Madeleine

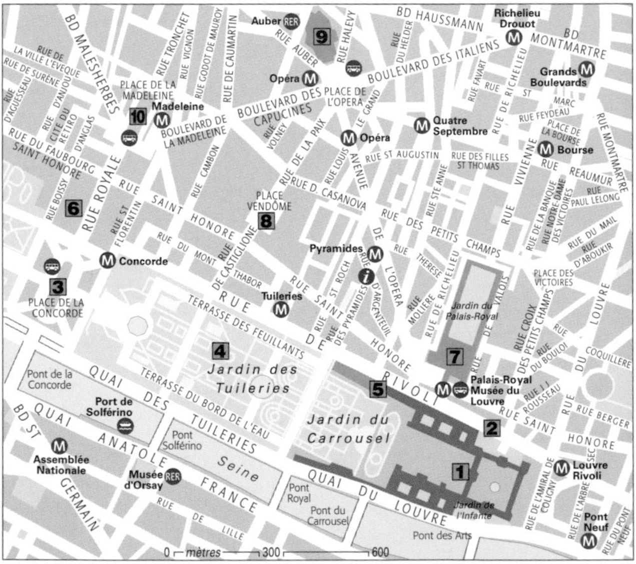

Opéra Garnier

1 Musée du Louvre
p. 8-11.

2 Rue de Rivoli
Commandée par Napoléon et baptisée en mémoire de sa victoire de 1797, cette superbe perspective relie Saint-Paul aux Champs-Élysées *(p. 103)*. Destinée à voir défiler les armées victorieuses, elle ne fut terminée que les années 1850, bien après la mort de l'Empereur. D'un côté, le mur des Tuileries fut remplacé par une grille afin d'élargir la vue. De l'autre, des appartements néoclassiques furent érigés au-dessus des arcades, qui abritent aujourd'hui boutiques de luxe et magasins de souvenirs. ❧ *Plan M2.*

3 Place de la Concorde
La célèbre place octogonale, mesurant plus de 8 ha, est bordée d'un côté par le jardin des Tuileries et de l'autre par le début des Champs-Élysées. Elle fut créée entre 1755 et 1775 d'après les plans de Jacques-Ange Gabriel afin d'accueillir une statue de Louis XV. Par la suite, elle fut baptisée « place de la Révolution » et, en 1792, reçut la guillotine en guise de monument. Louis XVI, Marie-Antoinette et plus de 1 000 autres condamnés y furent exécutés *(p. 70)*. En 1795, elle reçut son nom actuel dans un esprit de réconciliation. Haut de 23 m, l'obélisque qui se dresse en son centre provient d'un temple de Louxor, vieux de 3 300 ans. Ce présent de l'Égypte fut installé en 1836. Deux fontaines et huit statues représentant des villes françaises furent ajoutées sur la place. Au nord se dressent l'hôtel de la Marine et l'hôtel Crillon, également dessinés par l'architecte Gabriel. ❧ *Plan D3.*

Arcades de la rue de Rivoli

4 Jardin des Tuileries
Ce superbe jardin *(p. 38 et p. 50)* fut créé avec le palais des Tuileries, construit par Catherine de Médicis en 1564 puis incendié sous la Commune en 1871. En 1664, André Le Nôtre, jardinier de Louis XIV, redessina le jardin à la française. Du côté du Louvre se dresse l'arc de triomphe du Carrousel, érigé par Napoléon en 1808. De là, on accède au centre commercial du Carrousel du Louvre. Non loin, les sculptures sensuelles d'Aristide Maillol (1861-1944) ornent les bassins et les allées. À l'autre extrémité du jardin se trouvent le grand bassin, la galerie du Jeu de Paume *(p. 36)* et le musée de l'Orangerie *(p. 37)*, qui abrite les célèbres *Nymphéas* de Monet. ❧ *Plan J2.*

5 Musée des Arts décoratifs
Il aborde les arts décoratifs depuis le Moyen Âge jusqu'au XXe s. Il comporte plus de 100 salles, dont les plus connues sont celles du Moyen Âge, de la Renaissance, des styles Art nouveau et Art déco, ainsi qu'une collection de bijoux superbes. Le musée de la Mode et du Textile est dans le même bâtiment. Articles de mode, textiles et affiches y sont régulièrement exposés. ❧ *107, rue de Rivoli, 75001 • plan M2 • ouv. mar.-dim. 11h-18h (21h jeu.) • www.lesartsdecoratifs.fr • EP.*

Visiter Paris – Les Tuileries et l'Opéra

L'insurrection des Tuileries

En voyant aujourd'hui les enfants courir et les couples flâner dans le jardin des Tuileries, on imagine difficilement la scène qui s'y déroula le 20 juin 1792. Ce jour-là, les citoyens investirent le palais et ses jardins afin de mettre fin à la monarchie. Et le 10 août, la foule pilla le palais et renversa le roi Louis XVI.

6 Musée Art nouveau

Ce petit musée (qui fait partie du restaurant Maxim's) abrite l'impressionnante collection Art nouveau de Pierre Cardin, regroupant 750 œuvres d'artistes – tels Tiffany, Toulouse-Lautrec, Galle Massier et Majorelle – exposées dans un appartement à la décoration 1900. Vous pouvez combiner visite guidée et déjeuner dans le restaurant. ◈ *3, rue Royale, 75008 • plan D3 • ouv. mer.-dim. 14h-17h30 • vis. guid. 14h, 15h15, 16h30 • www.maxims-musee-artnouveau.com • EP.*

7 Palais-Royal

À la fin du XVIIIe s., cette ancienne demeure royale subit de lourdes transformations. Le duc d'Orléans chargea l'architecte Victor Louis de construire 60 immeubles similaires sur trois côtés de la cour, ainsi qu'un théâtre – qui abrite aujourd'hui la Comédie-Française *(p. 59)*. Les arcades accueillent des boutiques, galeries et restaurants. La cour et le jardin comportent des œuvres d'art contemporaines signées par Pol Bury et Daniel Buren *(p. 43)*.◈ *Pl. du Palais-Royal, 75001 • plan L1 • jardins ouv. avr.-mai : t.l.j. 7h-22h15 ; juin-août t.l.j. 7h-23h ; sept. : t.l.j. 7h-21h30 ; oct.-mars : t.l.j. 7h30-20h30.*

8 Place Vendôme

En 1698, Jules Hardouin-Mansart, l'architecte de Versailles *(p. 151)*, conçut cette place royale pour Louis XIV. À l'origine, elle devait accueillir des ambassades étrangères. Mais ce sont les banquiers qui

Cour du Palais-Royal

Façade du palais Garnier

s'y implantèrent en construisant de somptueuses demeures. Ils l'occupent encore aujourd'hui, avec les joailliers. Le célèbre Ritz fut fondé à la fin du XIXe s. *(p. 172)*. La colonne située au centre de la place, reconstruite après la Commune, supporte une statue de Napoléon. ◈ *Plan E3.*

9 Opéra Garnier

La construction de l'Opéra de Paris, conçu par Charles Garnier pour Napoléon III en 1862, dura treize ans. Mêlant classique et baroque, l'édifice est aisément reconnaissable avec ses colonnes, ses statues et son dôme en cuivre. Richement décoré, l'intérieur comprend un escalier d'honneur, un grand foyer orné de mosaïques et un plafond peint par Marc Chagall. En dessous, un réservoir d'eau (fermé au public) inspira à Gaston Leroux son *Fantôme de l'Opéra (p. 58)*.
◈ *Pl. de l'Opéra, 75009 • plan E2*
• 01 71 25 24 23 • ouv. t.l.j. 10h-17h
• ferm. j.f. et 10h-13h les jours de représentation en matinée
• www.operadeparis.fr • EP.

10 Place de la Madeleine

Avec ses 52 colonnes corinthiennes, l'immense église de la Madeleine *(p. 40)*, de style classique, domine la place. Du côté est, un marché aux fleurs se tient du mardi au samedi. Tout autour, se trouvent les épiceries de luxe et boutiques les plus chic de la capitale *(p. 98)*. ◈ *Plan D3.*

Une journée aux Tuileries

Le matin

🕐 Pour visiter le **Louvre** *(p. 8-11)*, mieux vaut arriver 15 min avant l'ouverture. En entrant, pensez à prendre un plan du musée pour ne pas manquer les œuvres les plus importantes. Vous pouvez boire un café dans l'un des élégants cafés Richelieu, Denon ou Mollien, à l'intérieur du musée.

En quittant le Louvre, vous pouvez soit visiter les boutiques du Carrousel du Louvre, soit prendre la **rue de Rivoli** vers la **place de la Concorde** *(p. 95)*. Les magasins de souvenirs ne manquent pas. Évitez les cafés hors de prix et tournez dans la rue de Mondovi. Un bon repas vous attend chez Lescure, un bistrot rustique *(7, rue de Mondovi ; 01 42 60 18 91 ; f. sam.-dim.)*.

L'après-midi

Après avoir passé la matinée enfermé, allez prendre l'air au **jardin des Tuileries** *(p. 95)*. Marchez ensuite jusqu'à la **place de la Madeleine**, où vous admirerez les épiceries de luxe, ou visitez le **musée Art nouveau**. Mangez ensuite un morceau au restaurant du célèbre **Hédiard** *(p. 98)*, si votre porte-monnaie le permet...

Si votre budget est limité et que vous prévoyez de visiter le Louvre un mercredi ou vendredi, inversez l'ordre de la journée : l'entrée est moins chère après 18 h. Avec la nocturne, cela vous laisse plus de 3 heures pour visiter le musée.

Gauche **Biscuits Fauchon** Droite **Produits de la Maison du miel**

10 Boutiques d'alimentation

1 Hédiard
Fondé en 1854, ce magasin d'alimentation de luxe propose plats cuisinés, gâteaux, fruits, légumes, épices et huiles de tous les pays. ❧ *21, pl. de la Madeleine, 75008 • plan D3.*

2 Fauchon
La plus célèbre épicerie parisienne. Véritables œuvres d'art, les vitrines regorgent de pâtisseries, fruits exotiques et autres produits. ❧ *26-30, pl. de la Madeleine, 75008 • plan D3.*

3 Au Verger de la Madeleine
Les grands crus rares sont la spécialité de la maison. Son propriétaire vous trouvera une année pour chaque occasion. ❧ *4, bd Malesherbes, 75008 • plan D3.*

4 Caviar Kaspia
Le summum de la gourmandise : caviars du monde entier, anguilles, saumons et autres poissons fumés. ❧ *17, pl. de la Madeleine, 75008 • plan D3.*

5 La Maison de la truffe
En hiver, vous y trouverez les meilleures truffes de France. Le reste de l'année, vous pourrez les acheter en conserves. On peut aussi déguster les précieux champignons sur place. ❧ *19, pl. de la Madeleine, 75008 • plan D3.*

6 La Maison du miel
Cette boutique familiale fondée en 1908 vend le miel sous toutes ses formes, tant pour l'étaler sur vos tartines que pour prendre soin de votre peau. ❧ *24, rue Vignon, 75009 • plan D3.*

7 Boutique Maille
Les moutardes fraîches les meilleures de France sont vendues dans de jolis pots de céramique. Certaines sont des séries limitées. ❧ *6, pl. de la Madeleine, 75008 • plan D3.*

8 Marquise de Sévigné
Superbe boutique et salon de thé, où vous pouvez prendre un café en goûtant aux célèbres chocolats de la maison. ❧ *32, pl. de la Madeleine, 75008 • plan D3.*

9 Betjeman & Barton
Vous trouverez plus de 200 variétés de thés du monde entier, ainsi que des théières farfelues. ❧ *23, bd Malesherbes, 75008 • plan D3.*

10 Ladurée
Venez déguster les fameux macarons maison, déclinés en une vingtaine de parfums. ❧ *16, rue Royale, 75008 • plan D3.*

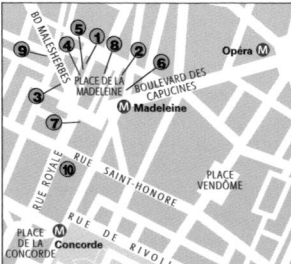

Autres boutiques à Paris **p. 169**

Gauche **Senderens** Droite **Chartier**

Catégories de prix

Pour un repas avec entrée, plat et dessert, une demi-bouteille de vin, taxes et service compris.

€ moins de 30 €
€€ 30 à 40 €
€€€ 40 à 50 €
€€€€ 50 à 60 €
€€€€€ plus de 60 €

Visiter Paris – Les Tuileries et l'Opéra

⭐🔟 Où manger

1 Le Carré des Feuillants
Le chef Alain Dutournier prépare des mets raffinés tels que la caille en croûte de guianduja.
Ⓝ 14, rue de Castiglione, 75001 • plan E3 • 01 42 86 82 82 • ferm. sam. midi, dim., août • PAH • €€€€€.

2 L'Espadon
La cuisine du chef Michel Roth a deux étoiles au *Michelin*.
Ⓝ Hôtel Ritz, 15, pl. Vendôme, 75001 • plan E3 • 01 43 16 30 80 • €€€€€.

3 Le Grand Véfour
Un magnifique restaurant XVIIIe s. qui affiche 2 étoiles au *Michelin*. Ⓝ 17, rue de Beaujolais, 75001 • plan E3 • 01 42 96 56 27 • ferm. ven. soir, sam.-dim., août et quelques jours en déc. • PAH • €€€€€.

4 Senderens
Le chef Alain Senderens, récompensé par 2 étoiles au *Michelin*, élabore une cuisine raffinée. Ⓝ 9, place de la Madeleine, 75008 • plan D3 • 01 42 65 22 90 • ferm. j.f., août • PAH • €€€€€.

5 Le Zinc d'Honoré
La clientèle d'affaires à midi et d'amateurs de théâtre le soir apprécient la cuisine de bistrot à petits prix. Ⓝ 36, place du Marché-St-Honoré, 75001 • plan E3 • ouv. t.l.j. • €€.

6 Higuma
Ce bar à nouilles japonais tout simple propose un excellent rapport qualité/prix.
Ⓝ 32 bis, rue Sainte-Anne, 75001 • plan E3 • 01 47 03 38 59 • €€.

7 L'Assagio
Les spécialités de toute l'Italie, comme le risotto au safran à l'os à moelle, sont servies l'été dans un agréable patio. Ⓝ 37, rue Cambon, 75001 • plan E3 • 01 44 58 45 67 • ferm. sam.-dim. et août • €€€€€.

8 Willi's Wine Bar
Ce bar-restaurant ravira les amateurs de cuisine française et de vins de petits viticulteurs.
Ⓝ 13, rue des Petits-Champs, 75001 • plan E3 • 01 42 61 05 09 • ferm. dim., 10 jours en août • €€€.

9 Restaurant du Palais-Royal
Dégustez une cuisine française contemporaine dans les jardins bucoliques du Palais-Royal (p. 39). Ⓝ 110, galerie de Valois, 75001 • plan E3 • 01 40 20 00 27 • ferm. dim., 2 dern. sem. de déc. • PAH • €€€€.

10 Chartier
Célèbre brasserie, économique et idéale pour les gros appétits. Pas de réservation.
Ⓝ 7, rue du Faubourg-Montmartre, 75009 • plan E3 • 01 47 70 86 29 • €.

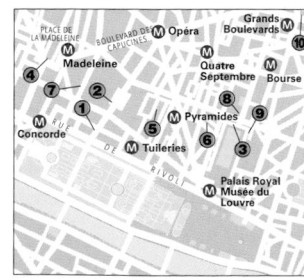

Remarque : sauf indication contraire, tous les restaurants acceptent les cartes de paiement et proposent des plats végétariens.

Gauche **Arc de triomphe** Droite **Palais de l'Élysée**

Les Champs-Élysées

*L'avenue des Champs-Élysées, considérée
comme « la plus belle avenue du monde »,
est incontestablement la plus célèbre de la capitale.
Elle s'étend de la place de la Concorde à la place
Charles-de-Gaulle, l'ancienne place de l'Étoile, d'où rayonnent, en étoile,
onze autres grandes avenues. Dominée par l'Arc de Triomphe, l'avenue
sert désormais de cadre majestueux aux grands événements de la nation,
à commencer par le défilé militaire du 14 Juillet. Bordé d'immeubles
splendides et de magasins élégants, le quartier symbolise le pouvoir et la
richesse, avec notamment le palais de l'Élysée et quelques ambassades, mais
aussi les grands couturiers, des hôtels de luxe et des restaurants réputés.*

TOP 10 À ne pas manquer

1. Arc de Triomphe
2. Avenue des Champs-Élysées
3. Grand Palais
4. Petit Palais
5. Pont Alexandre-III
6. Palais de la Découverte
7. Rue du Faubourg-Saint-Honoré
8. Avenue Montaigne
9. Palais de l'Élysée
10. Musée Jacquemart-André

Maison de *La Marseillaise*

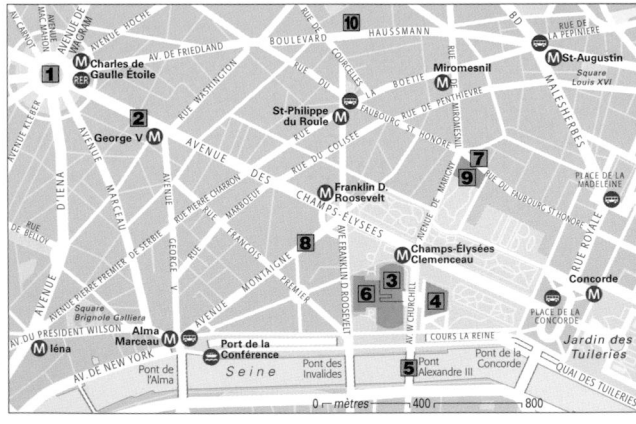

Double page précédente **Pâtisseries**

1 Arc de Triomphe
p. 24-25.

2 Avenue des Champs-Élysées

L'avenue – l'une des plus célèbres du monde – prit réellement forme en 1667 quand André Le Nôtre fut chargé d'y dessiner une promenade dans l'axe du jardin des Tuileries (p. 95). Tout d'abord appelée Grand-Cours, celle-ci fut par la suite rebaptisée Champs-Élysées. Au milieu du XIXe s., l'avenue, embellie de contre-allées, de fontaines, de cafés, de restaurants et de salles de spectacle, devint synonyme d'« élégance » et de « divertissement ». À mi-chemin, le rond-point des Champs-Élysées en est la partie la plus séduisante avec ses massifs fleuris et ses châtaigniers. Les parties autrefois envahies par les boutiques touristiques ont été réaménagées et des enseignes de grandes marques internationales ont fait leur apparition. Une promenade sur la célèbre avenue reste une expérience incontournable d'un séjour à Paris. ◈ Plan C3.

3 Grand Palais

Édifié pour l'Exposition universelle de 1900, le Grand Palais possède une architecture Art nouveau qui mêle la pierre et l'acier. Son magnifique dôme en verre et en acier est visible de tout Paris et les angles du bâtiment sont coiffés de colossaux quadriges en bronze. La façade est rehaussée d'une colonnade classique et d'une frise en mosaïque. La grande halle en fer accueille des expositions temporaires. ◈ 3, av. du Général-Eisenhower, 75008 • plan D3 • 01 44 13 17 17 • heures d'ouverture variables selon les expositions • ferm. 1er mai • www.grandpalais.fr • EP.

4 Petit Palais

Construit pour l'Exposition universelle de 1900, le Petit Palais se déploie autour d'une cour semi-circulaire. Sa façade coiffée d'un dôme à lanternon est précédée d'une belle colonnade dorique. Ce musée abrite les collections de la ville de Paris, essentiellement des peintures du XIXe s. ◈ Av. Winston-Churchill, 75008 • plan D3 • 01 53 43 40 00 • ouv. mar.-dim. 10h-18h (20h jeu. expositions temporaires) • ferm. j.f. • www.petitpalais.fr • EP.

Visiter Paris – Les Champs-Élysées

Avenue des Champs-Élysées

5 Pont Alexandre-III

Construit afin de permettre aux visiteurs de l'Exposition universelle de 1900 de traverser la Seine pour rejoindre le Petit et le Grand Palais, ce pont entièrement métallique est dédié au tsar Alexandre III qui en posa la première pierre. L'architecture typiquement Art nouveau de son arche est rehaussée de candélabres en bronze majestueux. Depuis les Champs-Élysées, il offre une perspective magnifique sur les Invalides *(p. 48* et *p. 115)*. ✆ Plan D3.

6 Palais de la Découverte

Ce musée, installé dans une aile du Grand Palais, fut fondé lors de l'Exposition internationale de 1937 par Jean Perrin, prix Nobel de physique. Consacré à la vulgarisation scientifique, il retrace les inventions majeures en biologie, chimie, astronomie et physique. Son planétarium sophistiqué est très instructif, et les salles Planète Terre proposent une étude approfondie du réchauffement climatique.
✆ Av. Franklin-D.-Roosevelt, 75008 • plan D3 • ouv. mar.-sam. 9h30-18h, dim. 10h-19h • ferm. 1er janv., 1er mai, 14 juil., 15 août, 25 déc. • EP.

7 Rue du Faubourg-Saint-Honoré

Cette rue parallèle à l'avenue des Champs-Élysées est l'une des plus élégantes de la capitale. C'est le temple de la mode et du luxe, et les boutiques de grands couturiers tels Christian Lacroix, Hermès, Versace ou Gucci y côtoient galeries d'art et antiquaires réputés, comme La Cour aux antiquaires, au n° 54. Même si les prix sont très élevés, y faire du lèche-vitrines est un plaisir à ne pas manquer. ✆ Plan D3.

8 Avenue Montaigne

Au XIXe s., l'avenue Montaigne était un haut lieu du Paris nocturne. On dansait alors au célèbre Bal Mabille, qui ferma en 1870, et Adolphe Sax y fit entendre son tout nouvel instrument, le saxophone, au Jardin d'hiver. Aujourd'hui, cette avenue luxueuse rivalise avec la rue du Faubourg-Saint-Honoré, et de grands couturiers tels Christian Dior et Valentino y sont installés. L'avenue est bordée d'hôtels luxueux, de cafés et restaurants réputés ainsi que par la Comédie des Champs-Élysées et le théâtre des Champs-Élysées. ✆ Plan C3.

Pont Alexandre-III

Rue du Faubourg-Saint-Honoré

9 Palais de l'Élysée

Bâti en 1718, le palais eut de nombreux propriétaires avant d'être transformé en salle de bal sous le Directoire. En 1805, Murat et sa femme Caroline, sœur de Napoléon, y séjournèrent, suivis de l'impératrice Joséphine jusqu'à son divorce, puis de l'Empereur lui-même. Le futur Napoléon III s'y installa aussi après son élection à la présidence de la République en 1849 et y prépara son coup d'État de 1851. Depuis 1873, c'est la résidence du président de la République (p. 42). ◈ 55, rue du Faubourg-Saint-Honoré, 75008 • plan D3 • ferm. au public.

10 Musée Jacquemart-André

Cette superbe demeure de la fin du XIXe s. abrite une belle collection de meubles et d'œuvres d'art réunie par Édouard André et son épouse Nélie Jacquemart. Elle comprend des chefs-d'œuvre italiens signés Botticelli, Mantegna ou Paolo Uccello (Saint Georges terrassant le dragon). L'école française du XVIIIe s. est également bien représentée, avec des œuvres de Nattier, Boucher, Chardin et Fragonard. La peinture flamande est exposée dans la bibliothèque. ◈ 158, bd Haussmann, 75008 • plan C2 • 01 45 62 11 59 • ouv. t.l.j. 10h-18h • www.musee-jacquemart-andre.com • EP.

Une journée de shopping

Le matin

🕙 Le quartier des **Champs-Élysées** (p. 103) est l'endroit idéal pour se promener. Commencez par faire du lèche-vitrines **avenue Montaigne**, en prenant le trottoir où Prada, Nina Ricci, Dior et d'autres ont leurs élégantes maisons de couture. Ensuite, faites une pause au Bar des théâtres, rendez-vous des grands noms de la mode et des comédiens de la Comédie des Champs-Élysées, juste en face.

Reprenez l'avenue Montaigne dans l'autre sens jusqu'aux Champs-Élysées et remontez vers l'Arc de Triomphe. Vous y découvrirez quantité d'enseignes de marques internationales. Déjeunez chez **Spoon Paris** en arrivant assez tôt pour trouver une table (p. 109).

L'après-midi

Continuez sur les Champs-Élysées et passez devant les concessionnaires automobiles et les restaurants, souvent installés dans de très beaux bâtiments.

Prenez le passage souterrain pour accéder à l'**Arc de Triomphe** (p. 24-25) et montez pour admirer la vue, magnifique le soir lorsque les avenues sont illuminées. Allez ensuite rue du **Faubourg-Saint-Honoré** où se trouvent d'autres belles boutiques.

Pour une pause raffinée et gourmande, rendez-vous chez **Ladurée**, sur les Champs-Élysées, pour savourer ses macarons qui s'enrichissent chaque année d'un nouveau parfum.

Gauche **Avenue de Marigny** Centre **Avenue Franklin-D.-Roosevelt** Droite **26, avenue Montaigne**

⌀10 Un quartier de célébrités

1, avenue de Marigny
Steinbeck y vécut cinq mois en 1954. Il décrivit les Parisiens comme « les gens les plus heureux du monde ». ✆ *Plan C3.*

2 8, rue Artois
Le légendaire Francis le Belge, « parrain » de la mafia marseillaise, a été assassiné dans ce café, en plein jour, en septembre 2001. ✆ *Plan C2.*

3 37, avenue Montaigne
L'actrice et chanteuse allemande Marlene Dietrich a passé ici les dernières années de sa vie, recluse dans un luxueux appartement. ✆ *Plan C3.*

4 Pont de l'Alma
C'est dans le tunnel sous le pont de l'Alma que lady Diana a touvé la mort en 1997. La Flamme de la Liberté, à côté, a été transformée spontanément en lieu de recueillement *(p. 48).* ✆ *Plan C3.*

5 31, avenue George-V, Hôtel George V
Des Rolling Stones à Jim Morrison en passant par Jennifer Lopez ou Ricky Martin, c'est l'hôtel préféré des rock-stars américaines. ✆ *Plan C3.*

6 Hôtel Élysée-Palace
Mata Hari, la séduisante espionne allemande, occupait la chambre 113. Elle fut d'ailleurs arrêtée devant l'hôtel au n° 25 avenue Montaigne. ✆ *Plan C3.*

7 37, avenue George-V
Deborah Delano, la tante de Franklin D. Roosevelt, y avait un appartement et reçut les époux Roosevelt lors de leur lune de miel en 1905. Une avenue et une station de métro sont dédiées au président américain. ✆ *Plan C3.*

8 49, avenue des Champs-Élysées
Charles Dickens y habita entre 1855 et 1856 : ce fut « la meilleure et la pire époque » de sa vie. Dix ans plus tôt, il avait vécu au n° 38 rue de Courcelles. ✆ *Plan C3.*

9 114, avenue des Champs-Élysées
Le pionnier brésilien de l'aviation Alberto Santos-Dumont y imagina la plupart de ses prouesses aéronautiques, dont le premier vol en dirigeable en 1909 au-dessus de jardins de Bagatelle. ✆ *Plan C2.*

10 102, boulevard Haussmann
Le très sensible Marcel Proust écrivit dans une chambre insonorisée ses mémoires, immense chef-d'œuvre de la littérature française. ✆ *Plan D2.*

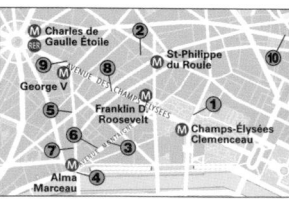

Gauche **Manifestations étudiantes en 1968** Droite **Célébration du 14 Juillet**

Histoire des Champs-Élysées

1616
Marie de Médicis, épouse d'Henri IV, fait aménager cette avenue. Le Cours-la-Reine est alors une promenade bordée de trois allées d'arbres près du quai de la Seine.

1667
André Le Nôtre est chargé par Louis XIV de dessiner une promenade dans l'axe du jardin des Tuileries. Baptisée « le Grand-Cours » et bordée de châtaigniers, elle relie le Cours-la-Reine.

1709
Débaptisé, le Grand-Cours devient « les Champs-Élysées ». Dans la mythologie grecque, les champs Élysées étaient le lieu idyllique qui accueillait les âmes vertueuses dans l'au-delà.

1724
Le duc d'Antin, intendant des Jardins royaux, fait prolonger l'avenue jusqu'à la butte de Chaillot où se dresse aujourd'hui l'Arc de Triomphe *(p. 24-25)*.

1774
Jacques-Germain Soufflot fait aplanir l'avenue pour en réduire la dénivellation, permettant ainsi aux carrosses et aux cavaliers de circuler plus facilement.

26 août 1944
À la fin de la Seconde Guerre mondiale, les Parisiens en liesse célèbrent par des défilés et des bals la libération de la capitale après quatre années d'occupation allemande.

30 mai 1968
De Gaulle et ses partisans organisent une gigantesque contre-manifestation sur les Champs-Élysées. Elle marque un tournant dans la période de mai 68, où les manifestations étudiantes, contestant l'autorité de l'État, débouchèrent sur des émeutes et une grève générale.

12 novembre 1970
Une marche silencieuse est organisée à la mémoire du général de Gaulle qui vient de décéder. Bien qu'il soit retiré du pouvoir, sa mort est une véritable onde de choc pour le pays qu'il a servi pendant près de 30 ans.

14 juillet 1989
Le défilé célébrant le bicentenaire de la Révolution française mêle traditions populaires et théâtre d'avant garde de façon éblouissante. Ces festivités tranchent radicalement avec les défilés militaires traditionnels.

12 juillet 1998
Les Parisiens affluent des quatre coins de la capitale et envahissent les Champs-Élysées pour rendre hommage à l'équipe de France de football qui vient de donner à la France la Coupe du monde et manifester leur joie.

Gauche **Sac Christian Dior** Centre **Chanel** Droite **Boutique Prada**

Mode et haute couture

1 Christian Dior
Le décor gris et blanc, rehaussé d'un mobilier élégant, compose un écrin délicat pour des collections sophistiquées. ✆ *30, av. Montaigne, 75008 • plan C3.*

2 Chanel
Cette boutique, annexe de la rue Cambon, propose tous les classiques de la maison Chanel, ainsi que la collection plus provocante et moderne signée Karl Lagerfeld. ✆ *42, av. Montaigne, 75008 • plan C3.*

3 Nina Ricci Mode
Rendez-vous à l'angle de la rue François-Ier, au Ricci-Club, pour hommes, ou à la boutique qui propose la collection de l'année précédente dégriffée. ✆ *39, av. Montaigne, 75008 • plan C3.*

4 Emanuel Ungaro
Cette boutique présente toutes les collections, du prêt-à-porter à la haute couture. ✆ *2, av. Montaigne, 75008 • plan C3.*

5 Boutique Prada
La boutique très chic propose vêtements et acessoires de la dernière collection. ✆ *10, av. Montaigne, 75008 • plan C3.*

6 Joseph
Rénovée par le célèbre architecte libanais Raed Abillama, la boutique vend des vêtements de la marque Joseph et de différents créateurs. ✆ *14, av. Montaigne, 75008 • plan C3.*

7 Jil Sander
La boutique est aussi moderne et dépouillée que les vêtements. Costumes, robes en cachemire et pardessus sobres sont exposés sur deux étages. ✆ *56, av. Montaigne, 75008 • plan C3.*

8 Chloé
Cette boutique de prêt-à-porter féminin est le temple du minimalisme. Vêtements de stylistes simples et chic et accessoires y sont vendus. ✆ *44, av. Montaigne, 75008 • plan C3.*

9 Valentino
L'élégante boutique en marbre fait ressortir le talent du couturier milanais, des tenues et accessoires les plus sophistiqués à la ligne Miss Valentino, plus décontractée. ✆ *17-19, av. Montaigne, 75008 • plan C3.*

10 MaxMara
Cette élégante marque italienne de prêt-à-porter féminin présente une belle collection de vêtements réalisés avec des tissus moelleux et raffinés, ainsi que la ligne SportMax, plus branchée. ✆ *31, av. Montaigne, 75008 • plan C3.*

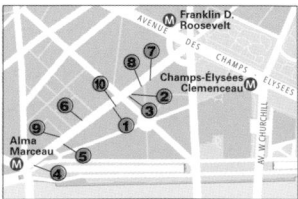

En savoir plus sur le lèche-vitrines p. 169

Catégories de prix

Pour un repas avec entrée, plat et dessert, une demi-bouteille de vin, taxes et service compris.

€ moins de 30 €
€€ 30 à 40 €
€€€ 40 à 50 €
€€€€ 50 à 60 €
€€€€€ plus de 60 €

Ci-dessus **Plaza Athénée**

TOP 10 Où manger

1 Alain Ducasse au Plaza Athénée

C'est le restaurant emblématique du grand chef Alain Ducasse. Les langoustines au caviar sont délicieuses *(p. 64)*. ✆ *Hôtel Plaza Athénée, 25, av. Montaigne, 75008 • plan C3 • 01 53 67 64 00 • ferm. lun.-mer. à midi, sam.-dim., août, quelques jours en déc. • €€€€€.*

2 Guy Savoy

Le grand chef Guy Savoy est tout aussi inventif que réputé, comme en témoigne son bar grillé aux piments doux *(p. 64)*. ✆ *18, rue Troyon, 75017 • plan C3 • 01 43 80 40 61 • ferm. sam. midi, dim.-lun. • €€€€€.*

3 Les Ambassadeurs

Une tenue habillée est indispensable dans ce restaurant de gastronomie française. ✆ *Hôtel de Crillon, 10, pl. de la Concorde, 75008 • plan D3 • 01 44 71 16 16 • €€€€€.*

4 Spoon Paris

Alain Ducasse concocte ici une cuisine innovante. ✆ *12, rue de Marignan, 75008 • plan C3 • 01 40 76 34 44 • ferm. pour travaux, tél. pour renseignements • €€€€€.*

5 Taillevent

C'est l'une des meilleures tables de la capitale *(p. 64)*. Les langoustines à la confiture de thé vert sont exceptionnelles. Le chef pâtissier est excellent. ✆ *15, rue Lammenais, 75008 • plan C3 • 01 44 95 15 01 • ferm. sam.-dim., j.f., août • €€€€€.*

6 Gagnaire

Le chef Pierre Gagnaire est célèbre pour ses accords subtils. ✆ *6, rue Balzac, 75008 • plan C3 • 01 58 36 12 50 • ferm. sam., dim. midi, août, 1 sem. déc.-janv. • PAH • €€€€€.*

7 Granterroirs

Cette épicerie-bistrot sert une excellente cuisine à prix abordables. ✆ *30, rue de Miromesnil, 75008 • plan D2 • 01 47 42 18 18 • ferm. sam.-dim., août • €€€.*

8 Le Bœuf sur le toit

La soupe de homard est l'une des spécialités de la maison. ✆ *34, rue du Colisée, 75008 • plan C3 • 01 53 93 65 55 • PAH • €€€.*

9 L'Atelier des Chefs

Dégustez le plat que vous avez vous-même réalisé sous la houlette d'un chef. ✆ *10 rue de Penthièvre, 75008 • plan D2 • 01 53 30 05 82 • ouv. lun.-sam. 10h-19h. €€-€€€.*

10 Le Cinq

Le restaurant (2 étoiles au *Michelin*) du George V *(p. 106 et 172)* sert une excellente cuisine française. ✆ *31, av. George-V, 75008 • plan C3 • 01 49 52 70 00 • €€€€€.*

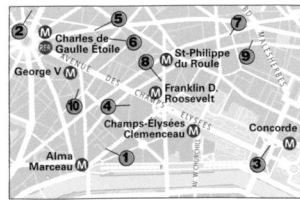

 Remarque : sauf indication contraire, tous les restaurants acceptent les cartes de paiement et proposent des plats végétariens.

Visiter Paris – Les Champs-Élysées

Gauche **Dôme des Invalides** Centre **Pont Alexandre-III** Droite **Champs-de-Mars**

Les quartiers des Invalides et de la tour Eiffel

*C*es deux quartiers abritent deux symboles de la capitale : la tour Eiffel et l'hôtel des Invalides.
Ils furent essentiellement aménagés au XIXe siècle sur des terrains vierges, propices à l'édification de larges avenues et d'esplanades couvertes de pelouses. À l'est des Invalides, se trouvent l'Assemblée nationale et de superbes hôtels particuliers qui abritent désormais des ambassades. Le musée du Quai-Branly se dresse sur les bords de la Seine.

À ne pas manquer

1 Hôtel des Invalides
2 Tour Eiffel
3 Les égouts
4 Musée de l'Armée
5 Musée Rodin
6 Musée du Quai-Branly
7 Rue Cler
8 École militaire
9 Unesco
10 Assemblée nationale

Le Penseur, musée Rodin

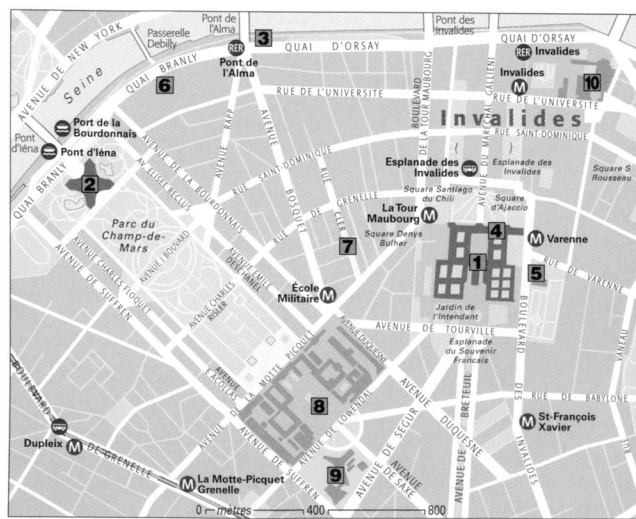

1 **Hôtel des Invalides**
p. 32-33.

2 **Tour Eiffel**
p. 16-17.

3 **Les égouts**
La visite des égouts de Paris peut sembler incongrue. Le réseau actuel fut mis au point sous le Second Empire (1851-1870) pour améliorer l'hygiène de la capitale, parallèlement aux transformations réalisées en surface par le baron Haussmann (p. 45). Cette réalisation remarquable est essentiellement l'œuvre de l'ingénieur Belgrand. Les égouts parcourent 2 100 km entre Les Halles et La Villette. Une visite guidée de 1 heure permet d'en arpenter les galeries et de découvrir les conduites de distribution d'eau où passent également divers câbles. Le musée des Égouts, situé sous le quai d'Orsay, rive gauche, retrace l'histoire de l'eau et des égouts dans la capitale, des débuts jusqu'à nos jours. Les visiteurs peuvent y voir un montage audiovisuel.

Général Foch, musée de l'Armée

◉ Face au 93, quai d'Orsay, 75007 • plan C4 • ouv. sam.-mer. 11h-16h (mai-sept. 11h-17h) • ferm. 1er janv., 2 sem. mi-janv., 25 déc. • EP.

4 **Musée de l'Armée**
Retraçant l'histoire militaire française du paléolithique à la Seconde Guerre mondiale, le musée de l'Armée possède l'une des collections les plus complètes d'armes, d'armures, d'uniformes et de souvenirs historiques, complétée d'une rétrospective consacrée à chacune des deux guerres mondiales. Il occupe les anciens réfectoires des Invalides, situés dans les galeries de l'Orient et de l'Occident (autour de la cour d'honneur). Le billet d'entrée donne également accès au musée des Plans-Reliefs, à l'historial Charles-de-Gaulle, au musée de l'Ordre de la Libération et au tombeau de Napoléon (p. 114). ◉ Hôtel des Invalides, 75007 • plan C4 • ouv. t.l.j. sf mar. 10h-18h (21h le mar. et 17h en hiver) • ferm. j.f. et 1er lun. du mois (sf juil.-sept.) • EP.

5 **Musée Rodin**
Une collection remarquable d'œuvres du sculpteur Auguste Rodin (1840-1917) est réunie dans l'hôtel Biron (p. 116). C'est dans cette splendide demeure du XVIIIe s. que l'artiste passa les neuf dernières années de sa vie. Les salles sont organisées de façon à peu près chronologique et exposent également dessins et aquarelles ; les rotondes abritent certains chefs-d'œuvre comme *Le Baiser* et *Ève*. Une salle est consacrée à Camille Claudel, élève et muse de Rodin, complétée par la collection personnelle de l'artiste avec des toiles de Vincent Van Gogh et de Claude Monet. Les jardins

La jeunesse de Napoléon

Napoléon Bonaparte est sans doute le plus célèbre des anciens élèves de l'École militaire. Admis à 15 ans, en 1784, il y fut remarqué pour ses talents de marin. Il en sortit avec le grade de lieutenant d'artillerie et le compte rendu d'examen mentionne : « Ira loin si les circonstances s'y prêtent. » La suite appartient à l'Histoire.

du musée sont absolument magnifiques avec leurs citronniers et roseraies, et abritent de véritables chefs-d'œuvre comme *Balzac*, *Le Penseur*, *Les Bourgeois de Calais* et *La Porte de l'enfer* (p. 36). ✏ 79, rue de Varenne, 75007 • plan C4 • ouv. mar.-dim. 10h-17h45 • www.musee-rodin.fr • EP.

Musée du Quai-Branly

Ce musée regroupe près de 300 000 objets des civilisations d'Afrique, d'Asie, d'Océanie et des Amériques ; 3 500 sont exposés. Vous y verrez une fantastique collection d'instruments africains, de masques gabonais, de statues aztèques et de peaux d'animaux peintes du XVIIe s.

d'Amérique du Nord (qui appartenaient autrefois aux rois de France). Conçu par Jean Nouvel, le bâtiment mêle élégamment le verre à la verdure environnante pour mettre en valeur les objets exposés (p. 35). ✏ 37, quai Branly, 75007 • plan B4 • ouv. mar., mer. et dim. 11h-19h, jeu.-sam. 11h-21h • www.quaibranly.fr • EP.

Rue Cler

Cette rue pavée, piétonne de la rue de Grenelle à l'avenue de La Motte-Picquet, est une artère animée et commerçante dans un quartier élégant. Marchands des quatre-saisons, de vins, poissonniers, bouchers et fleuristes y proposent des produits de très grande qualité. Admirez aux nos 33 et 151 les très beaux immeubles Art nouveau. ✏ Plan C4.

École militaire

En 1751, c'est à la demande de Mme de Pompadour, sa maîtresse, que Louis XV approuva la construction de l'École militaire, destinée à former 500 gentilshommes sans fortune pour le service du roi. Ce vaste édifice fut dessiné par l'architecte Gabriel, auteur

Musée du Quai-Branly

du Petit Trianon à Versailles et de la place de la Concorde *(p. 95)*. Achevé en 1773, c'est un parfait exemple du style classique, avec son pavillon central rehaussé de dix colonnes corinthiennes embrassant deux étages et sa cour d'honneur.

⊗ *1, pl. Joffre, 75007 • plan C5*
• ouv. sur demande spéciale (par écrit).

9 Unesco
La maison de l'Unesco, Organisation des Nations unies pour l'éducation, la science et la culture, est un vaste complexe construit en 1958 par une équipe d'architectes français (Zehrfuss), italien (Nervi) et américain (Breuer). Si la façade en béton et en verre du bâtiment principal, en forme de Y, peut ne pas plaire, l'intérieur abrite des œuvres remarquables qui méritent une visite. On peut y admirer une immense fresque sur bois de Picasso, des mosaïques de Miró, une mosaïque d'El Djem (Tunisie) du IIe s. et, sur l'esplanade, un mobile géant de Calder et la *Silhouette au repos* d'Henry Moore. ⊗ *7, pl. de Fontenoy, 75007*
• plan C5 • 01 45 68 10 00
• ouv. sur r.-v. seul. • EG.

10 Assemblée nationale
Construit pour la duchesse de Bourbon, fille de Louis XIV, en 1722, le Palais-Bourbon abrita le Conseil des Cinq-Cents à la Révolution. Siège du corps législatif depuis 1827, il abrita l'administration allemande sous l'Occupation. Côté Seine, la façade à l'antique fut édifiée par Napoléon pour être le pendant de la Madeleine *(p. 97)*. ⊗ *33, quai d'Orsay, 75007*
• plan D4 • vis. guid. seul. : rés. et pièce d'identité obligatoires, www.assemblee-nationale.fr • ferm. j.f. et lors des sessions parlementaires • EG.

Une journée dans le quartier des Invalides

Le matin

🕐 Commencez la journée avec la visite du **musée Rodin** *(p. 111)*. Une belle collection d'œuvres de l'artiste est exposée dans le musée et dans les splendides jardins. Des expositions temporaires, très intéressantes, y sont aussi organisées. Prenez ☕ un café dans le jardin, sur la terrasse verdoyante. Continuez jusqu'à l'**hôtel des Invalides** *(p. 32-33)*, non loin, pour voir le tombeau de Napoléon et le musée de l'Armée *(p. 111)*. De là, remontez l'esplanade vers la Seine et le **pont Alexandre-III** *(p. 104)*, en tournant à gauche dans la rue de l'Université avant d'arriver sur les quais. Déjeunez 🍴 chez **Le Divellec**, l'un des meilleurs restaurants de poisson de Paris *(p. 117)*.

L'après-midi

Après le déjeuner, prenez la rue de l'Université jusqu'au **musée du Quai-Branly**, dont vous découvrirez la superbe architecture moderne et les fascinantes collections d'art tribal. Le Café Branly, installé dans les jardins paisibles du musée, ☕ permet de faire une pause autour d'une tasse de thé. Pour visiter la **tour Eiffel** *(p. 16-17)* en fin d'après-midi, prenez soin de réserver à l'avance, par téléphone ou sur Internet. À la tombée de la nuit, la vue est magnifique. 🍴 Dînez au célèbre restaurant Le Jules Verne, au 2e étage de la tour, ou retournez au musée du Quai-Branly pour son restaurant Les Ombres *(p. 117)*, aménagé sur le toit.

Gauche *L'Abdication de Napoléon* (1814), François Pigeot Droite **Armure complète**

Musée de l'Armée, expositions

1 Département moderne (1648-1792)
Les armes et objets exposés retracent l'histoire de l'armée royale, de sa naissance sous Louis XIV à la formation des soldats à la Révolution.

2 Département moderne (1792-1871)
Il couvre la période allant des débuts de la Révolution à la fin de la Commune et expose des objets personnels de Napoléon.

3 Département des armes et armures anciennes
Il s'agit de la troisième plus grande collection d'armures au monde. Rassemblés depuis les années 1960, ces objets avaient été égarés pendant la Révolution.

4 Peintures murales du e siècle
Dans le département des armes anciennes, des peintures du XVIIe s. de Joseph Parrocel célèbrent les victoires de Louis XIV.

5 Guerres mondiales
Au 2e étage, deux salles sont consacrées aux deux guerres mondiales. Uniformes, cartes, photos et autres souvenirs illustrent parfaitement les deux conflits. Ils sont parfois très émouvants.

6 Bannières et trophées
Une petite collection de bannières militaires, datant de 1619 à 1945, est exposée dans l'aile Orient.

7 Historial Charles-de-Gaulle
Consacré à l'ancien président, cet historial ultra-moderne est accessible par la cour d'honneur, aile Orient.

8 Musée des Plans-Reliefs
Au 4e étage de la salle Turenne, 102 maquettes de villes fortifiées, du XVIIe au XIXe s., illustrent l'évolution des fortifications en France.

9 Artillerie
Plus de 800 canons sont rassemblés à l'intérieur et devant le musée.

10 Salle orientale
Cette collection d'armes et d'armures présente différents styles militaires nationaux.

Verdun (1917), Félix Vallotton, musée de l'Armée

Le musée de l'Armée **p. 111**

Gauche **Vue de la tour Eiffel** Droite **Pont Alexandre-III et les Invalides**

🔟 Les plus beaux points de vue

1 Du haut de la tour Eiffel
Avec la ville qui s'étend à perte de vue et la Seine en contrebas, aucune vue à Paris ne rivalise avec celle du dernier étage de la tour Eiffel *(p. 16-17)*. C'est le temps fort d'une visite dans la capitale : alors priez pour qu'il fasse beau ! ⊗ *Plan B4.*

2 Pont d'Iéna
Aucune vue sur la tour Eiffel n'est décevante, mais la meilleure est celle que l'on a du Trocadéro en traversant le pont d'Iéna au pied de la tour. ⊗ *Plan B4.*

3 Au pied de la tour Eiffel
Ce n'est pas parce que tout le monde veut monter qu'il faut négliger la tour vue d'en bas. C'est de là qu'on découvre le mieux sa superbe structure d'acier, véritable prouesse d'ingénierie *(p. 16-17)*. ⊗ *Plan B4.*

4 La tour Eiffel la nuit
Depuis que la tour s'est habillée de lumière pour entrer dans le nouveau millénaire, elle a connu plusieurs illuminations différentes. ⊗ *Plan B4.*

5 Marché de Saxe-Breteuil
Peu touristique, ce marché qui se tient sur l'avenue de Saxe, de l'avenue de Ségur à la place de Breteuil, permet d'avoir une vue originale de la tour Eiffel se dressant au-dessus des étals de fruits et légumes. Avis aux photographes ! ⊗ *Plan D5*
• jeu. 7h-14h30, sam. 7h-15h.

6 Pont Alexandre-III
Ce magnifique pont flanqué de statues dorées offre de belles vues *(p. 48 et p. 104)*. ⊗ *Plan D4.*

7 Jardins du musée Rodin
Le dôme doré de l'église des Invalides scintille à travers les arbres qui bordent ces jolis jardins. ⊗ *Plan D5.*

8 Hôtel des Invalides
Le majestueux dôme doré qui surplombe le tombeau de Napoléon offre, vu de la Seine, par une matinée ensoleillée, un spectacle magnifique *(p. 32-33)*. ⊗ *Plan D4.*

9 Pont de la Concorde
L'obélisque égyptien, dressé sur la place de la Concorde *(p. 95)*, est encore plus majestueux vu du pont. ⊗ *Plan D4.*

10 Musée du Quai-Branly
La meilleure vue de ce bâtiment original et coloré s'offre depuis les bords de Seine. Admirez l'étonnant « mur vert », à l'extrémité ouest *(p. 112)*. ⊗ *Plan D4.*

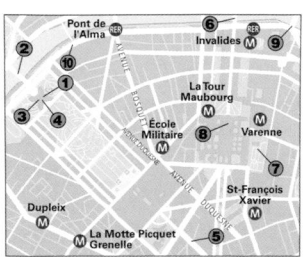

Gauche **Hôtel Biron** Droite **Hôtel de Villeroy**

Hôtels particuliers

1 Hôtel Biron
Construit en 1730 pour le duc de Biron, l'hôtel abrita à partir de 1904 des ateliers d'artistes. Rodin y avait aussi un logement. Après sa mort, l'hôtel devint le musée Rodin *(p. 117)*.

2 Hôtel de Villeroy
L'actuel ministère de l'Agriculture fut bâti en 1724 pour Charlotte Desmarnes, de la Comédie-Française. ✆ *78-80, rue de Varenne, 75007 • plan D4 • ferm. au public.*

3 Hôtel Matignon
La résidence officielle du Premier ministre, qui date de 1721, est superbe. ✆ *57, rue de Varenne, 75007 • plan D4 • tél. au 01 49 54 03 00 pour prendre r.-v.*

4 Hôtel de Boisgelin
Ce bel hôtel édifié en 1732 par Jean-Sylvain Cartaud abrite l'ambassade d'Italie depuis 1938. ✆ *47, rue de Varenne, 75007 • plan D4.*

5 Hôtel de Gallifet
Ce séduisant hôtel classique, construit entre 1776 et 1792, accueille l'Institut culturel italien. ✆ *73, rue de Grenelle, 75007 • plan D4 • ouv. lun.-ven. 10h-13h, 15h-18h.*

6 Hôtel d'Estrées
L'hôtel de 1713 fut rehaussé de rangées de pilastres. Le tsar Nicolas I y descendit en 1896, quand il abritait l'ambassade de Russie. ✆ *79, rue de Grenelle, 75007 • plan B5 • ferm. au public.*

7 Hôtel d'Avaray
Cet hôtel de 1728 appartint à la famille d'Avaray pendant deux siècles. Depuis 1920, c'est l'ambassade des Pays-Bas. ✆ *85, rue de Grenelle, 75007 • plan B5 • ferm. au public.*

8 Hôtel de Brienne
La mère de Napoléon résida à l'hôtel de Brienne de 1806 à 1817. Le bâtiment abrite désormais le ministère de la Défense. ✆ *14-16, rue Saint-Dominique, 75007 • photos interdites • plan D4 • ferm. au public.*

9 Hôtel de Noirmoutiers
Édifié en 1724, l'ancien quartier général de l'armée pendant la Première Guerre mondiale abrite des bureaux ministériels. ✆ *138-140, rue de Grenelle, 75007 • plan B5 • ferm. au public.*

10 Hôtel de Monaco de Sagan
L'entrée de cet hôtel de 1784 est encadrée de fontaines. L'hôtel abrite l'ambassade de Pologne. ✆ *57, rue Saint-Dominique, 75007 • plan D4 • ferm. au public*

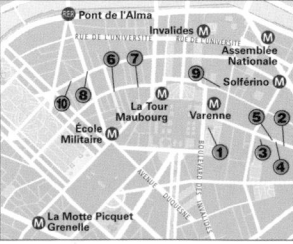

Catégories de prix

Pour un repas avec	€ moins de 30 €
entrée, plat et dessert,	€€ 30 à 40 €
une demi-bouteille	€€€ 40 à 50 €
de vin, taxes et	€€€€ 50 à 60 €
service compris.	€€€€€ plus de 60 €

Ci-dessus **Vin sur vin**

ᵀᴼᴾ10 Où manger

1 Le Jules Verne
Réservez une table près de la fenêtre pour déguster la cuisine raffinée d'Alain Ducasse en profitant de la vue. Réservation obligatoire le soir. 🕥 *Tour Eiffel, 2e étage, Champ-de-Mars, 75007 • plan B4 • 01 45 55 61 44 • PAH • €€€€€.*

2 Le Divellec
L'un des meilleurs restaurants de poisson de la capitale. 🕥 *107, rue de l'Université, 75007 • plan C4 • 01 45 51 91 96 • ferm. sam.-dim., août, 1 sem. déc.-janv. • €€€€€.*

3 L'Arpège
La carte inventive du chef Alain Passard fait de L'Arpège l'un des meilleurs restaurants de Paris. 🕥 *84, rue de Varenne, 75007 • plan D4 • 01 47 05 09 06 • ferm. sam.-dim. • PAH • €€€€€.*

4 Le Violon d'Ingres
Autre grand chef parisien, Stéphane Schmidt propose un menu de saison avec des classiques français revisités. 🕥 *135, rue Saint-Dominique, 75007 • plan C4 • 01 45 55 15 05 • €€€€€.*

5 Vin sur vin
Le propriétaire est un fin connaisseur en vins. Réservation indispensable le soir. 🕥 *20, rue de Montessuy, 75007 • plan C4 • 01 47 05 14 20 • ferm. août • €€€€€.*

6 Thoumieux
L'ancien chef du Crillon Jean-François Piège élabore une cuisine inventive dans un cadre historique. 🕥 *79, rue Saint-Dominique, 75007 • plan C4 • 01 47 05 49 75 • €€€€.*

7 L'Ami Jean
Spécialités basques inventives : coquilles Saint-Jacques marinées, accompagnées d'un délicieux fromage de brebis. 🕥 *27, rue Malar, 75007 • plan C4 • 01 47 05 86 89 • ferm. dim.-lun. • PAH • €€€€.*

8 Les Cocottes de Constant
Ici on mange au comptoir de délicieuses cocottes (plats mijotés) élaborées par le chef Christian Constant. 🕥 *135, rue Saint-Dominique, 75007 • plan C4 • 01 45 50 10 31 • ferm. dim. • €€€.*

9 Les Ombres
Sébastien Tasset est une étoile montante de la cuisine. Quelques tables ont vue sur la tour Eiffel. 🕥 *27, quai Branly, 75007 • plan B4 • 01 47 53 68 00 • €€€€€.*

10 Chez les Anges
La carte change tous les jours en fonction du marché. 🕥 *54, bd de La Tour-Maubourg, 75007 • plan C4 • 01 47 05 89 86 • ferm. sam.-dim., août • €€€€.*

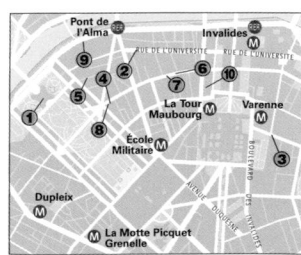

Remarque : *sauf indication contraire, tous les restaurants acceptent les cartes de paiement et proposent des plats végétariens.*

Gauche **Musée d'Orsay** Centre **Panthéon** Droite **Saint-Sulpice**

Le Quartier latin, Saint-Germain et le Luxembourg

*S*éduisante, cette partie de la rive gauche l'est assurément. Autour de la plus ancienne église de la capitale, Saint-Germain-des-Prés reste le symbole des grands cafés parisiens fréquentés par les artistes et les intellectuels dans la première moitié du XXe siècle. Bien que très touristique, une promenade dans ses ruelles révèle de belles maisons anciennes, arborant des plaques aux noms célèbres. Le Quartier latin doit son nom aux latinistes qui étudièrent à la Sorbonne jusqu'à la Révolution. Centre scolastique majeur pendant plus de 700 ans, la Sorbonne est aujourd'hui une université bordée de cafés et de clubs de jazz. Le quartier est situé sur une ancienne colonie romaine dont les vestiges sont exposés au musée du Moyen Âge. À l'ouest, s'étend le trépidant boulevard Saint-Michel et, au sud, le paisible et verdoyant quartier du Luxembourg, doté d'un merveilleux parc.

Jardin du Luxembourg

Les sites

1 Musée d'Orsay
2 Panthéon
3 Jardin du Luxembourg
4 Saint-Sulpice
5 La Sorbonne
6 Musée national du Moyen Âge
7 Boulevard Saint-Germain
8 Boulevard Saint-Michel
9 Quai de la Tournelle
10 Musée Maillol

1 Musée d'Orsay
p. 12-15.

2 Panthéon
p. 28-29.

3 Jardin du Luxembourg
Ce parc de 25 ha est un véritable coin de paradis. Le jardin à la française s'étend à l'arrière du palais du Luxembourg *(p. 43)*, en de larges terrasses qui entourent le bassin central octogonal. La fontaine Médicis *(p. 39)* en est le plus bel ornement. Les statues et sculptures datent pour la plupart du XIXe s., telle celle de sainte Geneviève, patronne de Paris, et le monument à Eugène Delacroix. Il y a un terrain de jeux pour enfants, un café en plein air, un kiosque à musique, des courts de tennis, un théâtre de marionnettes, ainsi qu'une école d'apiculture *(p. 38).* ◈ *Plan L6.*

4 Saint-Sulpice
Commencée en 1646, cette immense église ne fut terminée qu'en 1780. La façade classique du Florentin Giovanni Servandoni est rehaussée d'une grandiose colonnade à deux étages et de deux tours – celle du sud demeure inachevée. Dans la nef, près de l'entrée, deux bénitiers sont formés d'énormes coquilles offertes à François Ier par la république de Venise. La première

Fontaine Médicis, jardin du Luxembourg

Horloge, la Sorbonne

chapelle du bas-côté droit est ornée de très belles peintures d'Eugène Delacroix (1798-1863).
◈ *2, rue Palatine, pl. Saint-Sulpice, 75006 • plan L5 • ouv. t.l.j. 7h30-19h30 • EG.*

5 La Sorbonne
La plus célèbre des universités parisiennes *(p. 43)* fut fondée en 1253 par Robert de Sorbon, chapelain de Saint Louis. Ce modeste collège destiné aux maîtres et étudiants pauvres désirant apprendre la théologie devint rapidement le principal centre théologique du pays. Saint Thomas d'Aquin (v. 1226-1274) et Roger Bacon (1214-1292) y ont enseigné. Le poète italien Dante (1265-1321), Ignace de Loyola (1491-1556), fondateur des jésuites, et Jean Calvin (1509-1564), à l'origine de la religion réformée, y ont étudié. Bastion du conservatisme, l'université fut fermée à la Révolution puis rouverte par Napoléon en 1806. Elle fut aussi fermée pendant Mai 68 *(p. 45)*.
◈ *47, rue des Écoles, 75005 • plan M5 • 01 40 46 21 11 • vis. guid. seul. lun.-ven. et un sam. par mois sur rés.• EP.*

Jazz sur la rive gauche

Le jazz a toujours eu beaucoup de succès à Paris depuis les années 1920, notamment sur la rive gauche. Fuyant la ségrégation, de nombreux musiciens noirs américains s'y sont installés et Paris est devenu leur seconde patrie – tel fut le cas de Sydney Bechet *(p. 63)*. Paris n'a jamais cessé d'aimer le jazz et ce dernier le lui rend bien.

6 Musée national du Moyen Âge

Cette demeure fut construite par les abbés de Cluny à la fin du XVe s. Elle abrite une remarquable collection artistique de l'antiquité gallo-romaine au XVe s., dont le chef-d'œuvre incontesté est la tapisserie de *La Dame à la licorne (p. 34)*, et les vestiges des thermes gallo-romains du IIe s., dotés d'un immense et superbe frigidarium voûté. Les 21 têtes en pierre sculptées à l'effigie des rois de Juda, issues de la façade de Notre-Dame, décapitées à la Révolution, y sont aussi conservées. ◎ *6, pl. Paul-Painlevé, 75005 • plan N5 • ouv. mer.-lun. 9h15-17h45 • ferm. 1er janv., 1er mai, 25 déc. • www.musee-moyenage.fr • EP.*

7 Boulevard Saint-Germain

Ce célèbre boulevard, long de 3 km, traverse une partie de la rive gauche proche de la Seine et relie le pont de la Concorde au pont de Sully. En son cœur se dresse l'église de Saint-Germain-des-Prés, construite au XIe s. sur un sanctuaire antérieur édifié en 542. Juste en face, se trouvent les célèbres Café de Flore et Les Deux Magots *(p. 125)*. En remontant vers la place de la Concorde, l'artère est bordée de galeries d'art, de librairies et de boutiques de mode. De l'autre côté, elle traverse le Quartier latin, la charmante place Maubert et son marché animé, et rejoint l'île Saint-Louis *(p. 71)*. ◎ *Plan J3.*

8 Boulevard Saint-Michel

L'artère principale du Quartier latin, tracée à la fin des années 1860 lors de la transformation de la ville par le baron Haussmann *(p. 45)*, porte le nom d'une chapelle qui se trouvait à son extrémité nord. Elle est aujourd'hui bordée de nombreux cafés animés, de boutiques de vêtements et de restaurants bon marché. Près de la Seine, vers l'est, les rues de

Boulevard Saint-Germain

Quai de la Tournelle

la Harpe et de la Huchette datent
du Moyen Âge. Dans cette
dernière, les restaurants grecs
sont alignés les uns à côté des
autres. Sur la place Saint-Michel,
une immense fontaine en
bronze représente saint Michel
terrassant un dragon. ◈ *Plan M4.*

9 Quai de la Tournelle
De ce quai, juste avant le
pont de l'Archevêché, les vues
sur Notre-Dame sont fort belles.
Néanmoins, comme sur le quai
de Montebello qui en est le
prolongement, ce sont les
bouquinistes aux étals vert
bouteille *(p. 122)* qui attirent
l'attention. Du pont de la
Tournelle, les vues sur la Seine
sont splendides. ◈ *Plan P5.*

10 Musée Maillol
Dina Vierny, qui posa pour
le sculpteur Aristide Maillol
(1861-1944) de 15 à 25 ans,
est à l'origine de cette fondation
dédiée à l'artiste. Les sculptures,
peintures, dessins, gravures
et terres cuites d'Aristide Maillol
sont exposés dans un hôtel
du XVIIIe s. Le musée organise
également deux expositions
temporaires par an et présente
des dessins de grands artistes
français comme Degas, Matisse
et Picasso *(p. 37).* ◈ *61, rue de
Grenelle, 75007 • plan J4 • ouv. t.l.j.
sf mar. 10h30-19h (21h30 ven.)
• www.museemaillol.com • EP.*

Une journée rive gauche

(Le matin)

⏱ Quoique très touristique,
la rive gauche possède
une atmosphère
exceptionnelle qu'il faut
prendre le temps de
découvrir. Commencez par
🅞 les bouquinistes le long
des **quais de Montebello
et de la Tournelle**. Cela
vous permettra d'avoir de
très belles vues sur Notre-
Dame et de dénicher
un souvenir insolite.

Ensuite, prenez n'importe
quelle rue qui s'éloigne
de la Seine pour remonter
vers le **boulevard Saint-
Germain**. Tournez à droite
🅞 jusqu'à deux célèbres
cafés, le **Flore** et **Les
Deux Magots** *(p. 125)*
et faites une petite pause
dans l'un d'eux, parmi
les habitués du matin.

Dirigez-vous ensuite au
sud vers la rue de Grenelle
et le musée Maillol.
🖉 Déjeunez à L'Œillade
*(10, rue Saint-Simon ; 01
42 22 01 60),* un bistrot à
l'atmosphère bon enfant.

(L'après-midi)

Plus vous arriverez tard au
musée d'Orsay *(p. 12-15)*,
moins il y aura de monde.
Comptez à peu près
2 heures pour découvrir
les splendides collections
dont les remarquables
toiles des maîtres
impressionnistes.

Votre soif de culture
🅞 rassasiée, prenez un thé
chez **Christian Constant**,
l'un des meilleurs
chocolatiers de Paris
*(37, rue d'Assas, 75006 ;
01 53 63 15 15)* ou restez
dîner au musée d'Orsay
(jeu. seul.).

Gauche **Bouquinistes** Droite **Village Voice**

TOP 10 Librairies

1 Bouquinistes
Sur les quais, les étals verts des bouquinistes recèlent des trésors : anciennes cartes postales, magazines, livres variés, bandes dessinées, partitions, affiches et objets hétéroclites. ⊗ *Plan N5.*

2 Shakespeare and Company
Fondée en 1951, la librairie anglaise la plus réputée de la capitale propose aussi des ouvrages en d'autres langues. Lectures poétiques en anglais et en français. ⊗ *37, rue de la Bûcherie, 75005 • plan N5.*

3 Librairie du musée d'Orsay
Ce musée extraordinaire dispose également d'une librairie exceptionnelle, essentiellement consacrée à l'art *(p. 12-15).*

4 La Hune
Une des références littéraires de renom : littérature, photographie et livres d'art. ⊗ *170, bd Saint-Germain, 75006 • plan K4.*

5 Gibert Jeune
Guides de voyages, romans, et littérature pour enfants : il y en a pour tous les goûts ! ⊗ *3 et 5, pl. Saint-Michel ; 27, quai Saint-Michel ; 30-34, bd Saint-Michel, 75005 • plan N4.*

6 Album
Spécialiste de la BD où tous les genres et toutes les époques sont représentés. ⊗ *8, rue Dante, 75005 • plan L4.*

7 Librairie Présence africaine
Cette librairie spécialiste de l'Afrique est un bon endroit où se procurer des adresses de restaurants ou de concerts africains. ⊗ *25 bis, rue des Écoles, 75005 • plan P6 • ferm. août.*

8 L'Œil écoute
Au cœur de Montparnasse, ouverte tard le soir (23h45 le sam.), cette librairie généraliste séduit les amateurs de beaux-arts et de littérature. ⊗ *77, bd du Montparnasse 75006 • plan D6.*

9 Librairie Maeght
Contiguë à la galerie éponyme, la librairie Maeght est dédiée à l'art, des livres aux reproductions et cartes postales. ⊗ *42, rue du Bac, 75007 • plan N5.*

10 Village Voice
Cette librairie est essentiellement consacrée à la littérature anglo-saxonne. ⊗ *6, rue Princesse, 75006 • plan L4.*

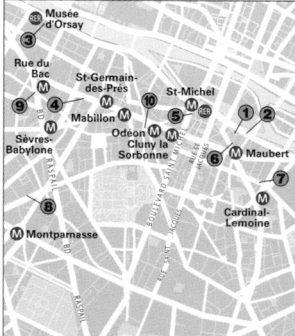

Gauche **Chocolatier parisien** Droite **Pâtisserie**

⑩ Boutiques gastronomiques

1 Patrick Roger
Les sculptures et les chocolats fourrés à la ganache du chocolatier Patrick Roger ont déjà conquis de nombreux amateurs. ◎ 108, bd Saint-Germain, 75006 • plan F5 • ferm. dim.

2 Michel Chaudun
Les connaisseurs se ruent chez Chaudun pour ses chocolats divins. ◎ 149, rue de l'Université, 75007 • plan C4 • ferm. dim.

3 Jean-Paul Hévin
L'un des grands chocolatiers de Paris. Présentation élégante et minimaliste, et superbes associations de saveurs. ◎ 3, rue Vavin, 75006 • plan E6 • ferm. dim.-lun.

4 Poilâne
Cette petite boulangerie, fondée en 1932, cuit ses célèbres pains au levain dans un four à bois traditionnel. ◎ 8, rue du Cherche-Midi, 75006 • plan E5 • ferm. dim.

5 La Dernière Goutte
Des cavistes anglophones spécialisés dans les vins de petits viticulteurs. Ils sont aussi propriétaires du bar à vins voisin, Fish. ◎ 6, rue Bourbon-Le Château, 75006 • plan E5.

6 Debauve & Gallais
Cette boutique date de 1800, quand le chocolat était vendu pour ses vertus médicinales. ◎ 30, rue des Saints-Pères, 75006 • plan K4 • ferm. dim.

7 Pierre Hermé
Les pâtisseries les plus fines de la ville, dont de très originaux macarons mélangeant les saveurs avec créativité. ◎ 72, rue Bonaparte, 75006 • plan L5.

8 Ryst Dupeyron
Marchand de vin spécialisé dans les grands bordeaux, les spiritueux rares et le champagne. ◎ 79, rue du Bac, 75006 • plan N5 • ferm. dim., lun. matin.

9 Sadaharu Aoki
Tout l'art d'Aoki est de mêler saveurs japonaises – tels le yuzu, le thé vert ou le sésame noir – et pâtisseries françaises classiques. ◎ 35, rue de Vaugirard, 75006 • plan E5 • ferm. lun.

10 Gérard Mulot
Ses gâteaux et tartes aux fruits sont parmi les meilleurs de Paris, et ses macarons sont divins. ◎ 76, rue de Seine, 75006 • plan L4 • ferm. mer.

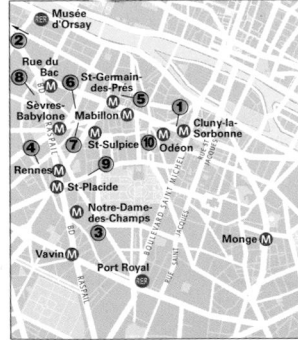

Gauche **Le 10 Bar** Droite **Café Mabillon**

⁷⁰⁰ Bars de nuit

1 Le 10 Bar
Très animé, ce bar attire une clientèle de bons vivants. *Happy hour* de 18 h à 20 h. ⊗ 10, rue de l'Odéon, 75006 • plan L5.

2 Le Crocodile
Ce bar décoré comme une salle de classe propose pas moins de 363 cocktails. *Happy hour* de 18 h à 22 h. ⊗ 6, rue Royer-Collard, 75005 • plan F6 • 01 43 54 32 37 • ferm. dim.

3 Prescription Cocktail Club
Ce bar à cocktails chic séduit une clientèle branchée. Le « gorille dans l'agrume » ravira les connaisseurs. ⊗ 23, rue Mazarine, 75005 • plan L4.

4 Café Mabillon
Parfait pour s'installer en terrasse avec un verre et prendre le temps de rêver, ce café ne ferme presque jamais. *Happy hour* de 19 h à 21 h. ⊗ 164, bd Saint-Germain, 75006 • plan N4.

5 L'Assignat
Bar convivial et familial où les habitués se retrouvent au comptoir autour d'un verre de vin ou de bière. ⊗ 7, rue Guénégaud, 75006 • plan L3 • ferm. dim.

6 Mezzanine
Le *lounge bar* du légendaire Alcazar est l'endroit où il faut être vu. Les boissons ne sont pas hors de prix (étonnant dans le quartier !). ⊗ Alcazar, 62, rue Mazarine, 75006 • plan L3.

7 Le Mondrian
L'endroit idéal pour se relaxer après une nuit à faire la fête. ⊗ 148, bd Saint-Germain, 75006 • plan N5.

8 Le Bob cool
Les noctambules et une clientèle d'habitués apprécient les cocktails de ce bar bohème chic, situé près de Saint-Michel. ⊗ 15, rue des Grands-Augustins, 75006 • plan M4 • ferm. dim.

9 Coolin
Un bar irlandais animé dont la clientèle variée et bon enfant apprécie la Guinness à la pression. ⊗ 15, rue Clément, 75005 • plan L4.

10 L'Urgence Bar
Avec sa décoration d'hôpital et ses cocktails « laxatif » et « liposuccion » servis dans une éprouvette ou un biberon, ce bar porte bien son nom. ⊗ 45, rue Monsieur-le-Prince, 75006 • plan M5 • ferm. dim.-lun.

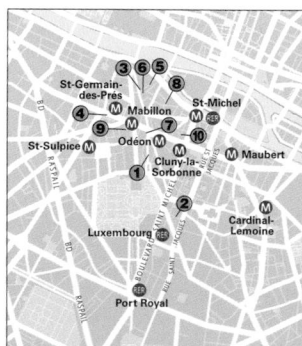

Gauche **Café de Flore** Droite **Shakespeare and Company**

Écrivains sur la rive gauche

1 La Palette
Ce café fut fréquenté notamment par Henry Miller *(p. 47)* et le grand poète Jacques Prévert. ® *43, rue de Seine, 75006 • plan L4 • ouv. t.l.j. 8h-2h.*

2 Les Deux Magots
Ce haut lieu de l'élite littéraire et artistique de Paris fut aussi fréquenté par les surréalistes et François Mauriac *(p. 52)*. ® *6, pl. Saint-Germain-des-Prés, 75006 • plan K4 • ouv. t.l.j. 7h30-1h.*

3 Café de Flore
C'est ici que Guillaume Apollinaire fonda en 1913 sa revue *Les Soirées de Paris* *(p. 52)*. ® *6, pl. Saint-Germain-des-Prés, 75005 • plan K4 • ouv. t.l.j. 7h-1h30.*

4 Le Procope
Le plus ancien café de Paris fut le rendez-vous de grands écrivains comme Voltaire, Balzac et Zola. ® *172, bd Saint-Germain, 75006 • plan K4 • ouv. t.l.j. 10h30-1h.*

5 Brasserie Lipp
Ernest Hemingway *(p. 47)* décrit cette célèbre brasserie dans *Paris est une fête*. Elle fut aussi fréquentée par le romancier André Gide. ® *Plan L4 • ouv. t.l.j. 9h30-1h du matin.*

6 Hôtel Pont-Royal
Henry Miller y étanchait sa soif en écrivant *Tropique du Cancer* et *Tropique du Capricorne*. ® *5-7, rue de Montalembert, 75007 • plan J3 • ouv. t.l.j. 8h-minuit.*

7 Shakespeare and Company
Le romancier Henry Miller a qualifié cette célèbre librairie de « pays des merveilles du livre » *(p. 122)*.

8 Le Sélect
Plusieurs écrivains américains dont Truman Capote et F. Scott Fitzgerald *(p. 47)* fréquentèrent ce café-restaurant. ® *99, bd du Montparnasse, 75006 • plan D6 • ouv. lun.-ven. 7h-2h, sam.-dim. 7h-4h.*

9 La Coupole
Cette brasserie Art déco, qui existe depuis 1927, a accueilli d'illustres hôtes comme Aragon et Sagan *(p. 157)*. ® *102, bd du Montparnasse, 75014 • plan D6 • ouv. t.l.j. 12h-1h.*

10 Le Petit Saint-Benoît
Camus, Beauvoir et Joyce venaient y prendre leur café. ® *4, rue Saint-Benoît, 75006 • plan K3 • ouv. lun.-sam. 12h-14h30, 19h-22h30.*

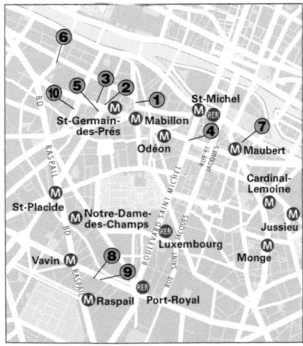

➜ *Les autres écrivains à Paris* **p. 47**

Gauche **Marché de la rue de Buci** Droite **Pâtisseries**

Manger sur le pouce

1 Marché de la rue de Buci
Pour un pique-nique raffiné, rendez-vous sur ce marché où vous trouverez les meilleurs produits régionaux, vins et pâtisseries *(p. 54)*. ✆ *Plan L4.*

2 Poilâne
Choisissez le meilleur pain pour réaliser votre pique-nique ; la recette est celle de feu Lionel Poilâne. ✆ *8, rue du Cherche-Midi, 75006 • plan J5.*

3 Marché Maubert
Ce petit marché, spécialisé dans les produits biologiques, se tient le mardi et le samedi matin. Excellents fromages et produits frais. ✆ *Pl. Maubert, 75006 • plan N5.*

4 Fromagerie Quatrehomme
L'une des meilleures fromageries de Paris, avec des produits affinés en cave et arrivés à maturité. ✆ *62, rue de Sèvres, 75007 • plan D5 • ferm. dim.*

5 Naturalia
Pour un pique-nique 100 % bio : pains de toutes sortes, vins, fromages, jambon, fruits, compotes et gâteaux. ✆ *36, rue Monge, 75005 • plan N6 • ferm. dim.*

6 Marché Raspail
Ce marché bio se tient le matin, les mardis, vendredis et dimanches. Les produits sont excellents, mais plutôt chers. ✆ *Bd Raspail, 75006 • plan J4.*

7 Bon
Une excellente pâtisserie-chocolaterie avec un très bel assortiment de tartelettes aux fruits et des chocolats en forme de tour Eiffel. ✆ *159, rue Saint-Jacques, 75005 • plan N5.*

8 La Grande Épicerie de Paris
Cette épicerie installée dans Le Bon Marché *(p. 55)* propose des merveilles comme le beurre aux algues breton ou le coucou de Rennes. ✆ *Le Bon Marché, 38, rue de Sèvres, 75007 • plan D5.*

9 Le Pirée
Délicieuses spécialités grecques et arméniennes, des légumes farcis aux délicates pâtisseries enrobées de miel. ✆ *47, bd Saint-Germain, 75005 • plan N5.*

10 Kayser
Cette boulangerie originale propose de suculents sandwichs. ✆ *8-14, rue Monge, 75006 • plan P6.*

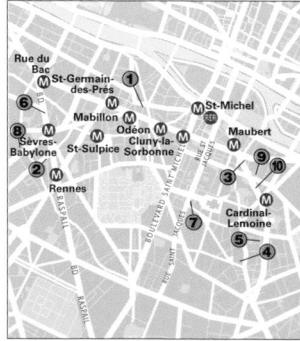

Autres boutiques et marchés de Paris **p. 54-55**

Catégories de prix

Pour un repas avec
entrée, plat et dessert,
une demi-bouteille
de vin, taxes et
service compris.

€ moins de 30 €
€€ 30 à 40 €
€€€ 40 à 50 €
€€€€ 50 à 60 €
€€€€€ plus de 60 €

Alcazar

🔟 Restaurants

1 L'Épi Dupin
Une excellente cuisine soucieuse des saisons. Pensez à réserver. 🕾 11, rue Dupin, 75006 • plan J5 • 01 42 22 64 56 • ferm. sam.-dim., lun. midi, août • €€€.

2 La Tour d'Argent
Ce restaurant mythique offre une vue splendide sur Notre-Dame. La spécialité est le canard au sang. 🕾 15, quai de la Tournelle, 75005 • plan P5 • 01 43 54 23 31 • ferm. dim., août • PAH • €€€€€.

3 Les Bouquinistes
Ce bistrot, qui appartient à Guy Savoy, propose une cuisine inventive sur les quais de Seine. 🕾 53, quai des Grands-Augustins, 75006 • plan M4 • 01 43 25 45 94 • ferm. sam. midi, dim., août • PAH • €€-€€€€€.

4 Alcazar
Un savoureux mélange de cuisines française, asiatique et britannique. 🕾 62, rue Mazarine, 75006 • plan L3 • 01 53 10 19 99 • €€€€.

5 Lapérouse
Cuisine française servie dans le même décor depuis 1766. 🕾 51, quai des Grands-Augustins, 75006 • plan M4 • 01 56 79 24 31 • ferm. sam. midi, dim., août • €€€€€.

6 L'Atelier Maître Albert
Viandes rôties à la broche et spécialités du grand Guy Savoy. Réservez une table devant la cheminée. 🕾 1, rue Maître-Albert, 75005 • plan F5 • 01 56 81 30 01 • ferm. sam.-dim. midi, Noël • €€€€.

7 La Bastide Odéon
Des saveurs provençales dans un cadre élégant : le risotto est excellent. 🕾 7, rue Corneille, 75006 • plan L5 • 01 43 26 03 65 • ferm. dim.-lun., août • PAH • €€€.

8 Le Pré Verre
Plats français aux saveurs asiatiques. 🕾 8, rue Thénard, 75005 • plan F5 • 01 43 54 59 47 • ferm. dim.-lun., août, 25 déc.-1er janv. • €€€.

9 Les Papilles
Choisissez un des vins vendus en magasin pour accompagner un menu exquis (p. 64). 🕾 30, rue Gay-Lussac, 75005 • plan F6 • 01 43 25 20 79 • ferm. dim., lun., août, 25 déc.-1er janv. • PAH • €€€.

10 Au Moulin à Vent
Un des meilleurs bistrots pour les cuisses de grenouilles, les escargots et les chateaubriands. 🕾 20, rue des Fossés-Saint-Bernard, 75005 • plan P6 • 01 43 54 99 37 • ferm. sam. midi, dim.-lun., août • €€€€.

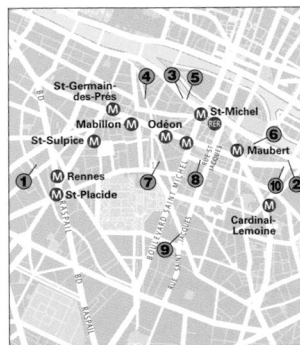

➤ *Remarque : sauf indication contraire, tous les restaurants acceptent les cartes de paiement et proposent des plats végétariens.*

Gauche **Jardin des plantes** Centre **Muséum national d'histoire naturelle** Droite **IMA**

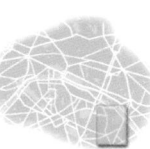

Le quartier du Jardin des plantes

Fondé en 1626 sous le nom de Jardin royal des plantes médicinales, le plus ancien jardin de Paris conserva une atmosphère rurale jusqu'à l'urbanisation du quartier au XIXe siècle. À proximité des arènes de Lutèce, amphithéâtre romain bien conservé, le jardin s'ouvre sur un quartier pittoresque traversé par la rue Mouffetard, une artère médiévale abritant l'un des marchés les plus animés de Paris. On trouve également dans le quartier la mosquée de Paris et l'Institut du monde arabe (IMA), deux hauts lieux de la culture islamique. L'architecture novatrice de ce dernier contraste avec les bâtiments des années 1960 de l'université de Jussieu.

Hippopotame en pierre
de la ménagerie

🔟 Les sites

1 Jardin des plantes
2 Muséum national d'histoire naturelle
3 Ménagerie
4 Institut du monde arabe
5 Mosquée de Paris
6 Rue Mouffetard
7 Arènes de Lutèce
8 Place de la Contrescarpe
9 Saint-Médard
10 Manufacture des Gobelins

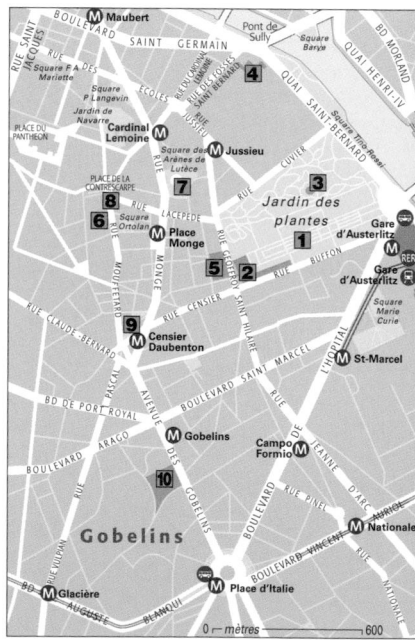

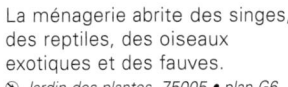
1 Jardin des plantes

L'ancien Jardin royal des plantes médicinales fut réalisé par Jean Héroard et Guy de La Brosse, médecins de Louis XIII. Ouvert au public en 1640, il connaît une expansion spectaculaire au milieu du XVIIIe s., sous l'intendance du comte de Buffon. Il abrite quelque 6 500 variétés, notamment un cèdre du Liban planté en France en 1734, un jardin alpin, un labyrinthe végétal et une roseraie *(p. 132).* ◈ *57, rue Cuvier, 75005 • plan G6 • 01 40 79 30 00 • ouv. t.l.j. 8h-17h30, 7h30-20h en été.*

2 Muséum national d'histoire naturelle

Les pavillons du Jardin des plantes abritent des collections de fossiles, minéralogie, géologie, insectes et anatomie comparée. La grande galerie de l'Évolution *(p. 60)* présente une collection exceptionnelle d'animaux naturalisés et d'espèces disparues *(p. 34).* ◈ *57, rue Cuvier, 75005 • plan G6 • pavillons ouv. mer.-lun. 10h-17h ; galerie de l'Évolution ouv. mer. lun. 10h-18h • ferm. 1er mai • www.mnhn.fr • EP.*

3 Ménagerie

Le plus ancien zoo public du pays a été fondé en 1794 pour accueillir les animaux survivants de la ménagerie royale de Versailles. Dons et animaux confisqués à des forains augmentent les effectifs de la ménagerie, mais celle-ci est décimée en 1870 par les Parisiens affamés lors du siège de la capitale *(p. 45).*

Minaret de la mosquée de Paris

La ménagerie abrite des singes, des reptiles, des oiseaux exotiques et des fauves. ◈ *Jardin des plantes, 75005 • plan G6 • ouv. t.l.j. 9h-17h • EP.*

4 Institut du monde arabe

L'Institut est né en 1980 de la volonté de promouvoir la connaissance de la civilisation arabo-musulmane. Le bâtiment, remarquable, est l'œuvre de Jean Nouvel *(p. 112).* Sur la façade sud, les baies vitrées de la bibliothèque – version moderne d'un moucharabieh – comportent 240 cellules photo-électriques qui tamisent la lumière du jour. À l'intérieur, le patio et le marbre blanc reprennent la tradition arabe. Les trois étages sont consacrés à l'art islamique, du IXe s. à nos jours. On y trouve aussi un bon restaurant. ◈ *1, rue des Fossés-Saint-Bernard, 75005 • plan G5 • 01 40 51 38 38 • ouv. mar.-dim. 10h-18h • www.imarabe.org • EP.*

5 Grande mosquée de Paris

Construit entre 1922 et 1926, l'Institut musulman se compose d'une mosquée, d'une école et d'une partie commerciale qui comprend un café maure et un restaurant *(p. 41).* De style arabo-andalou – notamment le grand patio inspiré de l'Alhambra –, la mosquée possède un minaret de 33 m qui domine l'ensemble. On y trouve également un hammam. ◈ *2, pl. du Puits-de-l'Ermite, 75005 • plan G6 • visites sam.-jeu. 9h-12h, 14h-18h • ferm. fêtes musulmanes • EP.*

Afrique du Nord française

La France a toujours entretenu des relations privilégiées avec l'Afrique du Nord, et de nombreux Nord-Africains vivent à Paris. Si, en 1956, l'indépendance du Maroc et de la Tunisie, jusqu'alors sous mandat français, fut accordée assez facilement, celle de l'Algérie (colonie française depuis 1834) déclencha un conflit sanglant (1954-1962).

6 Rue Mouffetard

Désormais célèbre pour son marché animé qui se tient du mardi au dimanche (p. 55), la rue Mouffetard est l'une des plus anciennes rues de la capitale et fut une portion de la grande voie romaine reliant Lutèce à Rome. Selon certains, son nom viendrait de *moufette* (sorte de putois), en référence à l'odeur de la Bièvre (aujourd'hui recouverte) où étaient déversés les produits utilisés par les tanneurs et les tisserands de la manufacture des Gobelins voisine. Le quartier a conservé tout son charme avec ses immeubles du XVIIe s., ses enseignes de pierre peinte et ses restaurants. Son marché est l'un des mieux achalandés de la capitale. ✎ Plan F6.

7 Arènes de Lutèce

Les vestiges de cet amphithéâtre romain du IIe s., de la colonie de Lutetia (p. 44), ne furent mis au jour qu'en 1869, lors du percement de la rue Monge. Farouche défenseur de la conservation et de la restauration du patrimoine, Victor Hugo s'engagea pour leur sauvegarde, tout comme il le fit pour Notre-Dame (p. 21). L'amphithéâtre se composait vraisemblablement de 35 gradins qui pouvaient accueillir 18 000 personnes pour les jeux du cirque et des représentations théâtrales. Les arènes voient aujourd'hui de pacifiques joueurs de pétanque s'affronter ! ✎ 47, rue Monge, 75005 • plan G6 • ouv. t.l.j. 9h-21h30 (8h-17h30 en hiver) • EG.

8 Place de la Contrescarpe

Cette place animée a conservé son atmosphère traditionnelle de lieu de réunion et de cabarets, avec ses nombreux cafés et restaurants que fréquentent notamment les

Arènes de Lutèce

étudiants. Au Moyen Âge, elle était à l'extérieur des remparts dont on aperçoit quelques vestiges. Au-dessus de la boucherie, au n° 1, une plaque rappelle le cabaret de La Pomme de pin (qui en réalité était en face), fréquenté au XVIe s. par Rabelais et d'autres grands écrivains et poètes. ◈ Plan F5.

Saint-Médard
9
Située dans le bas de la rue Mouffetard, cette église du IXe s. est dédiée à saint Médard, conseiller des rois mérovingiens. L'église actuelle, reconstruite aux XVe et XVIe s. puis remaniée au XVIIIe s., est un mélange de gothique flamboyant et de styles Renaissance et classique. Vous verrez de belles peintures à l'intérieur, dont la *Promenade de saint Joseph et de l'Enfant Jésus* de Francisco de Zurbarán (XVIIe s). Au XVIIIe s., l'église fut le théâtre de scènes d'hystérie collective quand certains prêtèrent à la tombe d'un diacre janséniste des vertus curatives.
◈ 141, rue Mouffetard, 75005 • plan G6 • ouv. mar.-sam. 9h-12h, 14h30-19h ; dim. 9h 12h • EG

Manufacture des Gobelins
10
Cette célèbre manufacture était à l'origine un atelier de teinturerie ouvert par Jean Gobelin au milieu du XVe s. Henri IV y installa des tapissiers flamands en 1601, puis Colbert y centralisa en 1662 les tapissiers parisiens ainsi que d'autres artisans (ébénistes, orfèvres, etc.) qui travaillaient tous à l'aménagement du château de Versailles (p. 151).
◈ 42, av. des Gobelins, 75013 • métro Gobelins • vis. guid. : mar.-jeu. 13h et 15h (arriver 30 min avant) ; expositions temporaires : mar.-dim. 11h-17h30 • les billets s'achètent dans les FNAC • EP.

Un jour autour du Jardin des plantes

Le matin

S'il fait beau, commencez votre journée très tôt par une promenade au **Jardin des plantes** (p. 129), avant que le quartier ne devienne trop animé. Le **Muséum national d'histoire naturelle** (p. 129) n'ouvre qu'à 10 h, mais le jardin est tout près de la **rue Mouffetard** et vous pourrez ainsi profiter de son pittoresque marché qui commence dès 8 h.

Détachez cependant votre regard des étals pour admirer les superbes maisons qui bordent cette rue très ancienne. Retournez visiter le musée et la grande galerie de l'Évolution. Rendez-vous ensuite à la **place de la Contrescarpe**, à quelques minutes des jardins, avant de reprendre la rue Mouffetard et d'y faire une pause dans l'un de ses nombreux cafés.

Descendez la rue pour visiter l'église **Saint-Médard**, sur la gauche. Prenez la rue Monge sur la gauche jusqu'aux **arènes de Lutèce**. À quelques minutes, Le Buisson ardent (25, rue Jussieu ; 01 43 54 93 02) est un petit bistrot idéal pour déjeuner.

L'après-midi

N'hésitez pas à passer une partie de l'après-midi à l'**Institut du monde arabe** (p. 129) pour découvrir les trésors islamiques, avant de revenir sur vos pas pour admirer l'architecture arabo-andalouse de la **mosquée de Paris** (p. 129) et prendre un thé à la menthe au café de la mosquée (01 43 31 18 14).

Gauche **Massif fleuri, Jardin des plantes** Droite **Reproduction de stégosaure**

〒10 Découvrir le Jardin des plantes

1 Un arbre du temps des dinosaures

L'un des arbres est un ginkgo biloba de 150 ans. Cette essence existait déjà à l'époque des dinosaures, il y a 125 millions d'années, exactement sous la même forme qu'aujourd'hui.

2 Cèdre du Liban

Cet arbre magnifique a été planté en 1734 par Jussieu. Il vient des London's Botanic Gardens mais, selon certains, la graine aurait été directement rapportée de Syrie dans le chapeau d'un scientifique.

3 Roseraie

La roseraie, splendide, n'existe que depuis 1990 mais rassemble un grand nombre de variétés de roses et de rosiers. Elle est particulièrement spectaculaire en période de floraison, au printemps et en été.

4 Jardin de roches

C'est l'un des joyaux du jardin botanique. Il présente dans leur contexte naturel plus de 3 000 plantes des régions montagneuses des Alpes mais aussi de Corse, du Caucase, du Maroc ou de l'Himalaya.

5 Sophora du Japon

Cet arbre très ancien fut introduit en France par Jussieu en 1747, grâce à la découverte d'un jésuite vivant en Orient. Il fleurit pour la première fois en 1777 et continue toujours de fleurir.

6 Jardin d'Iris

Autre originalité, ce beau jardin rassemble plus de 400 variétés d'iris qui fleurissent de mi-mai à fin juin.

7 Reproduction de stégosaure

Cette étonnante et immense reproduction de stégosaure se dresse devant la galerie de Paléontologie, qui abrite de très nombreux squelettes de dinosaures *(p. 60)*.

8 Crocodile du Nil

Ce crocodile, abandonné à l'âge de six mois par son propriétaire dans la baignoire d'une chambre d'hôtel à Paris, vit désormais avec ses congénères dans la ménagerie des reptiles.

9 Les Grandes Serres

Ces serres construites au XIXe s. (à l'époque, c'était les plus grandes du monde) comprennent une serre mexicaine ainsi qu'un jardin d'hiver maintenu à température constante de 22° C et 80 % d'humidité.

10 Nurserie

C'est l'un des endroits les plus appréciés des enfants. On peut y observer les bébés animaux qui, pour une raison ou pour une autre, ne peuvent être élevés par leurs parents. À l'âge adulte, ils rejoignent leurs congénères dans la ménagerie.

Ci-dessus **L'Avant-Goût**

Catégories de prix

Pour un repas avec	**€** moins de 30 €
entrée, plat et dessert,	**€€** 30 à 40 €
une demi-bouteille	**€€€** 40 à 50 €
de vin, taxes et	**€€€€** 50 à 60 €
service compris.	**€€€€€** plus de 60 €

🔟 Où manger

1 Le Petit Pascal
Le menu de spécialités régionales change tous les jours. Ce bistrot familial attire une clientèle d'habitués. ✆ *33, rue Pascal, 75013 • métro Gobelins • 01 44 35 33 87 • ferm. sam., dim., août • €€.*

2 Léna et Mimile
Les initiés préfèrent aux restaurants touristiques de la rue Mouffetard ce café à l'agréable terrasse. ✆ *32, rue Tournefort, 75005 • métro Place Monge • 01 47 07 72 47 • €€€.*

3 Au Petit Marguery
Le lièvre à la royale est une des spécialités de la maison. L'établissement est assez bruyant. ✆ *9, bd de Port-Royal, 75013 • plan F6 • 01 43 31 58 59 • ferm. dim., soir • pas de plat végétarien • €€€€.*

4 Le Buisson Ardent
Ce bistrot, idéal pour une soirée romantique, sert une cuisine française savoureuse. Menus d'un bon rapport qualité/prix. ✆ *25, rue Jussieu, 75005 • plan G6 • 01 43 54 93 02 • ferm. dim., sam. midi, août • €€€.*

5 La Truffière
Ce petit café, dans un immeuble du XVIIe s., est très chaleureux. La carte propose évidemment des truffes. ✆ *4, rue Blainville, 75005 • plan F6 • 01 46 33 29 82 • ferm. dim.-lun. • €€€€€.*

6 Restaurant Marty
La brasserie au cadre Art déco sert des plats traditionnels : foie gras poêlé aux pommes et coquilles Saint-Jacques à la provençale. ✆ *20, av. des Gobelins, 75005 • métro Gobelins • 01 43 31 39 51 • ferm. août • €€€€.*

7 Chez Paul
On y mange des viandes savoureuses comme un pot-au-feu ou de la langue, mais aussi du poisson. ✆ *22, rue de la Butte-aux-Cailles, 75013 • métro Place d'Italie • 01 45 89 22 11 • €€€*

8 Au Coco de Mer
Cuisine des Seychelles et « cabine de plage » sur du sable en terrasse. Plats végétariens sur commande. ✆ *34, bd Saint-Marcel, 75005 • plan G6 • 01 47 07 06 64 • ferm. dim., lun. midi, août • €€.*

9 L'Avant-Goût
L'endroit est petit et bruyant, mais le pot-au-feu de porc ou le flan à la pomme sont à découvrir. ✆ *26, rue Bobillot, 75013 • métro Place d'Italie • 01 53 80 24 00 • ferm. dim.-lun. • €€€.*

10 Chez Gladine
Ce restaurant animé au personnel dynamique sert des plats basques. Venez tôt. ✆ *30, rue des Cinq-Diamants, 75013 • métro Place d'Italie • 01 45 80 70 10 • ferm. juil. • pas de CB • €.*

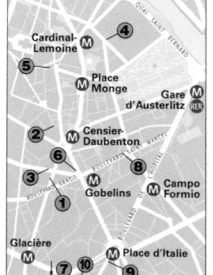

➤ **Remarque** : *sauf indication contraire, tous les restaurants acceptent les cartes de paiement et proposent des plats végétariens.*

Gauche **Jardins du Trocadéro** Centre **Cinéaqua** Droite **Café Carette**

Le quartier de Chaillot

L e village de Chaillot fut absorbé au XIXe siècle par la ville de Paris alors en pleine expansion – ce qui explique que le quartier se compose de larges avenues et de somptueux hôtels particuliers, aménagés sous le Second Empire (p. 45). Son plus bel ornement est le palais de Chaillot qui se dresse sur la colline du même nom, embrassant de ses larges ailes de pierre blanche les jardins du Trocadéro, dont la terrasse s'étend jusqu'à la Seine, face à la tour Eiffel. De l'autre côté, la place du Trocadéro fut dessinée en 1858 et s'appelait alors « la place du Roi-de-Rome », titre porté par le fils de Napoléon Ier. Elle est bordée de cafés élégants. En son centre se dresse une statue équestre du maréchal Foch. Le quartier abrite plusieurs grands restaurants, et de nombreuses ambassades sont installées dans d'élégants hôtels particuliers. Vers l'ouest s'étendent les quartiers résidentiels les plus chic de la capitale.

Les sites

1. Palais de Chaillot
2. Aquarium de Paris Cinéaqua
3. Musée de la Marine
4. Cité de l'architecture et du patrimoine
5. Musée d'Art moderne de la ville de Paris
6. Cimetière de Passy
7. Jardins du Trocadéro
8. Musée du Vin
9. Maison de Balzac
10. Musée national des Arts asiatiques Guimet

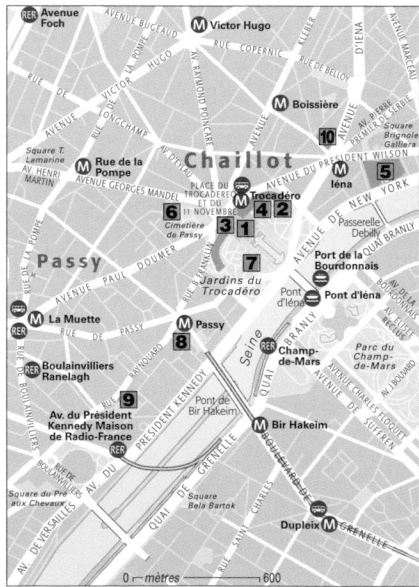

Musée du Vin, exposition

1 Palais de Chaillot

La chute de l'Empire mit fin au projet de Napoléon III de bâtir un palais pour son fils sur la colline de Chaillot, où fut néanmoins construit le palais du Trocadéro pour l'Exposition universelle de 1878. Il fut remplacé en 1937 par l'actuel bâtiment néoclassique flanqué de deux immenses ailes courbes. Les deux pavillons monumentaux qui les prolongent abritent trois musées *(ci-dessous)*, dont le musée de l'Homme. Chacun est précédé d'un groupe de bronzes *(Apollon* de Bouchard et *Hercule* de Pommier). Entre les deux, une percée dégage une perspective qui ouvre sur une vaste terrasse d'où l'on jouit d'une vue splendide sur la tour Eiffel, et sous laquelle est aménagé le Théâtre national de Chaillot. ✆ *17, pl. du Trocadéro, 75016 • plan B4.*

Palais de Chaillot

2 Aquarium de Paris Cinéaqua

Construit en 1878 pour l'Exposition universelle, l'aquarium de Paris abrite 10 000 espèces, dont des hippocampes, des poissons-pierres, des raies et un bassin de requins. Installé dans une ancienne carrière, le site a été conçu pour se fondre dans la colline de Chaillot. Il contient aussi plusieurs salles de cinéma. ✆ *Av. Albert-de-Mun, 75016 • plan B4 • ouv. t.l.j. 10h-19h (oct.-mars 18h) • ferm.1er janv., 1er mai, 14 juil., 25 déc. • www.cineaqua.com • EP.*

3 Musée de la Marine

Le musée présente 300 ans de l'histoire navale de la France, tant scientifiques que factuelles et légendaires. Son plus bel ornement est une collection exceptionnelle de modèles de navires de guerre et de bateaux marchands ou industriels, des felouques égyptiennes de l'Antiquité aux sous-marins nucléaires, en passant par les galères médiévales. Le splendide bateau d'apparat de Napoléon est aussi exposé. On peut visiter l'atelier des maquettistes et assister à leur travail. ✆ *Palais de Chaillot, 17, pl. du Trocadéro, 75016 • plan B4 • ouv. mer-lun. 11h-18h (19h sam.-dim.) • ferm. 1er janv., 1er mai, 25 déc. • www.musee-marine.fr • EP.*

4 Cité de l'architecture et du patrimoine

Installé dans l'aile est du palais de Chaillot, ce musée retrace l'évolution du patrimoine architectural français à travers les époques. La galerie des moulages (période romane à la Renaissance) expose des moulages d'églises et de cathédrales de France. La galerie moderne et contemporaine comprend une reconstitution d'un appartement conçu par Le Corbusier et des créations architecturales récentes. Le pavillon de tête abrite une collection de copies de peintures

Le maréchal Foch

Le maréchal Ferdinand Foch (1851-1929), dont la statue s'élève au centre de la place du Trocadéro, fut le commandant en chef des troupes alliées à la fin de la Première Guerre mondiale. Il conduisit à la victoire finale sur les troupes allemandes en 1918 et fut promu maréchal de France avant d'être élu à l'Académie française.

murales médiévales. ❧ *Palais de Chaillot, 75116 • plan B4 • 01 58 51 52 00 • ouv. mer.-lun. 11h-19h, jeu. 11h-21h • ferm. 1er janv., 1er mai, 25 déc. • www.citechaillot.fr • EP.*

5 Musée d'Art moderne de la ville de Paris

Il se situe dans l'aile est du palais de Tokyo, construit pour abriter le pavillon de l'Électricité de l'Exposition internationale de 1937. Sa remarquable collection comprend des œuvres de Chagall, Picasso, Modigliani et Fernand Léger. La monumentale *Fée Électricité* de Raoul Dufy (1937), œuvre de 600 m², et *Les Amants* de Picabia (1925) font partie des incontournables. Des expositions temporaires d'artistes contemporains, français et étrangers, sont régulièrement organisées *(p. 36)*. ❧ *11, av. du Président-Wilson, 75016 • plan B4 • 01 53 67 40 00 • ouv. mar.-dim. 10h-18h (jeu. jusqu'à 22h pour les expositions temporaires) • www.mam.paris.fr • EG pour la collection permanente ; EP pour les expositions temporaires.*

6 Cimetière de Passy

C'est dans ce petit cimetière datant de 1820 et mesurant seulement 1 ha que reposent de nombreuses célébrités, jouissant d'une vue de la tour Eiffel pour l'éternité *(p. 138)*. Il mérite un détour car certaines tombes sont très belles. ❧ *Pl. du Trocadéro (entrée rue du Commandant-Schloesing), 75016 • plan A4.*

7 Jardins du Trocadéro

Transformés après l'Exposition internationale de 1937, ces jardins en terrasse de 10 ha descendent en pente douce la colline de Chaillot jusqu'au pont d'Iéna. Au pied de la terrasse s'étend un grand bassin rectangulaire bordé de sculptures de pierre et de bronze. La nuit, ses jets d'eau illuminés sont spectaculaires. C'est un parc planté d'arbres très romantique avec des allées, des rocailles et des ponts enjambant de petits ruisseaux *(p. 39)*. ❧ *Plan B4.*

Cimetière de Passy

8 Musée du Vin

Les moines de Passy produisaient du vin dans ces caves voûtées. Des personnages de cire illustrent l'histoire de la vinification et d'anciennes bouteilles de vin, des verres et autres objets se rapportant au travail de la vigne et du vin sont exposés. Bon restaurant ouvert à midi. Dégustation et vente directe. ✆ 5, square Charles-Dickens, 75016 • plan A4 • 01 45 25 70 89 • ouv. mar.-dim. 10h-18h • www.museeduvinparis.com • EP.

9 Maison de Balzac

Balzac (p. 46) s'installa ici de 1840 à 1847 sous un nom d'emprunt afin d'échapper à ses créanciers. Il y conçut sa grande œuvre, La Comédie humaine. Le musée présente manuscrits originaux, objets personnels, lettres, peintures et dessins de ses parents et amis. Des expositions temporaires sont aussi organisées. ✆ 47, rue Raynouard, 75016 • plan A4 • 01 55 74 41 80 • ouv. mar.-dim. 10h-17h40 • ferm. j.t. • www.paris.fr • EP.

10 Musée national des Arts asiatiques Guimet

Ce musée (et centre de recherche), fondé en 1889, abrite la magnifique collection d'art asiatique et oriental réunie par l'industriel Émile Guimet. On peut y admirer des sculptures khmères du temple bouddhique d'Angkor, fleuron des collections de sculptures, les plus belles conservées en Occident, et le Panthéon bouddhique du Japon et de la Chine (œuvres religieuses du IVe au XIXe s.). Des collections indienne, indonésienne et vietnamienne sont aussi présentées. ✆ 6 pl. d'Iéna, 75016 • plan B3 • 01 56 52 53 00 • ouv. mer.-lun. 10h-18h • www.guimet.fr • EP.

Une journée à Chaillot

Le matin

🕐 Commencez votre journée par le **palais de Chaillot** (p. 135) afin d'avoir ainsi une vue imprenable sur la **tour Eiffel** (p. 16-17). Allez ensuite admirer les fascinantes collections de la **Cité de l'architecture** (p. 135-136) et, si l'histoire navale vous intéresse, visitez le **musée de la Marine** (p. 135). Les deux sont dans le palais de Chaillot. Puis offrez-vous une pause au Café du Trocadéro (8 pl. du Trocadéro ; 01 44 05 37 00) en observant les va-et-vient sur la place.

Prenez ensuite la rue Benjamin-Franklin puis la rue Raynouard pour vous rendre d'abord au **musée du Vin** puis à la **maison de Balzac**. Dirigez-vous vers la Maison de la Radio et faites-en le tour pour déjeuner au **Zebra Square** (p. 139).

L'après-midi

Longez la Seine en direction du palais de Chaillot, puis rendez-vous place d'Iéna pour visiter le **musée national des Arts asiatiques Guimet**. Ses collections sont exceptionnelles et ont été magnifiquement restaurées.

Si vous avez besoin d'un peu de repos, retournez place du Trocadéro et faites une halte au Café Kléber (4 pl. du Trocadéro ; 01 47 27 86 65). Terminez en toute sérénité par le **cimetière de Passy** avant un dîner inoubliable face à la tour Eiffel, au **Café de l'Homme** (palais de Chaillot).

Gauche **Buste de Manet** Centre **Tombe de Debussy** Droite **Tombe de Fernandel**

TOP 10 Tombes du cimetière de Passy

1 Édouard Manet
Né à Paris en 1832, Édouard Manet devint un des grands de l'école impressionniste. À sa mort en 1883, il laisse une œuvre considérable de plus de 400 toiles dont le célèbre *Déjeuner sur l'herbe (p. 12)*.

2 Claude Debussy
Ce compositeur français (1862-1918) accéda à la notoriété avec des œuvres telles que *Prélude à l'après-midi d'un faune* et *La Mer*. Il fut considéré comme l'équivalent musical des impressionnistes.

3 Berthe Morisot
Née à Paris en 1841, cette artiste de talent ne fut pourtant jamais aussi célèbre que ses confrères impressionnistes. Elle posa pour Édouard Manet, dont elle épousa le frère Eugène, et mourut à Paris en 1895.

4 Fernandel
Cet acteur populaire français est né à Marseille en 1903. Il tourna plus de 300 films et fit une immense carrière qui commença en 1930 et s'acheva à sa mort à Paris en 1971.

5 Marie Bashkirtseff
Cette artiste russe mourut de tuberculose en 1884 à 24 ans, sans avoir connu la célébrité. Elle écrivit cependant 84 volumes de journaux intimes dont la publication posthume révéla tout son talent et sa sensibilité.

6 Henri Farman
Cet aviateur français est né et décédé à Paris (1874-1958). Il effectua le 1er kilomètre aérien en circuit fermé (1908) et le 1er voyage aérien en Europe. Sur sa tombe, il est représenté aux commandes d'un des premiers avions.

7 Antoine Cierplikowski
La tombe de cet artiste inconnu des années 1920 attire l'attention grâce à une imposante sculpture représentant un homme et une femme enlacés.

8 Comte Emmanuel de Las Cases
Né en 1766, cet historien français, ami de Napoléon, accompagna ce dernier en exil sur l'île de Sainte-Hélène et rédigea le *Mémorial de Sainte-Hélène*. Le comte mourut à Paris en 1842.

9 Gabriel Fauré
Compositeur français, Gabriel Fauré eut une grande influence sur la musique de son époque. Il mourut à Paris en 1924. Son œuvre la plus célèbre est son *Requiem*.

10 Octave Mirbeau
Dramaturge et romancier satirique français, Octave Mirbeau fut également journaliste. Né en 1848, il mourut à Cheverchemont en 1917 et son corps fut ramené à Passy pour y être enterré.

Catégories de prix

Pour un repas avec entrée, plat et dessert, une demi-bouteille de vin, taxes et service compris.

€ moins de 30 €
€€ 30 à 40 €
€€€ 40 à 50 €
€€€€ 50 à 60 €
€€€€€ plus de 60 €

Gauche **Maison Prunier** Droite **Le Relais du Parc**

TOP10 Où manger

1 Le Relais du Parc
Un bel endroit pour apprécier la cuisine d'Alain Ducasse et Nicolas Alexandre. ◈ 55-57, av. Raymond-Poincaré, 75016 • plan B3 • 01 44 05 66 10 • ferm. sam. midi, dim.-lun., août • €€€€.

2 Le Jamin
Alain Pras, ancien élève de Guy Savoy, élabore des plats raffinés et inventifs comme le foie gras accompagné de gelée de coings. ◈ 32, rue de Longchamp, 75016 • plan A3 • 01 45 53 00 07 • ferm. sam. midi, dim. et août • €€€€€.

3 Le Bistrot du Chineur
La cuisine de ce bistrot chaleureux est savoureuse et bien préparée. Réservation indispensable. ◈ 5, impasse des Carrières, 75016 • plan A4 • 01 42 88 11 73 • ferm. sam. soir, dim. • €.

4 L'Astrance
La cuisine de l'excellent chef Pascal Barbot fait la part belle aux épices et aux condiments. Réservez un mois à l'avance. ◈ 4, rue Beethoven, 75116 • plan B4 • 01 40 50 84 40 • ferm. sam., dim., lun. • PAH • €€€€€.

5 Maison Prunier
Ce restaurant de poisson réputé possède un décor années 1930. ◈ 16, av. Victor-Hugo, 75016 • plan B3 • 01 44 17 35 85 • ferm. dim., août • PAH • €€€€€.

6 Le Scheffer
Mieux vaut réserver car la cuisine est excellente et les prix très abordables. Essayez le rouget à la provençale. ◈ 22, rue Scheffer, 75016 • plan B3 • 01 47 27 81 11 • ferm. sam.-dim. et juil.-août • €€.

7 Le Petit Rétro
La blanquette de veau de ce bistrot 1900, à l'ambiance feutrée et aux prix raisonnables, est délicieuse. ◈ 5, rue Mesnil, 75016 • plan B3 • 01 44 05 06 05 • ferm. sam. midi, dim. et août • PAH • €€€.

8 Le Bistrot des vignes
Un petit bistrot discret comme on aime en trouver à Paris. Les produits frais sont travaillés avec soin. ◈ 1, rue Jean-Bologne, 75016 • plan B4 • 01 45 27 76 64 • ferm. août, 24 déc. • PAH • €€€.

9 La Table Lauriston
Serge Barbey prépare avec simplicité des plats à base de produits de saison. Au menu, steak généreux et baba au rhum. ◈ 129, rue Lauriston, 75016 • plan A3 • 01 47 27 00 07 • ferm. dim., sam. midi, août, 1 sem. à Noël • €€€€€.

10 Zebra Square
En face de la Maison de Radio-France, c'est la cantine des journalistes. Apprécié pour le brunch du dimanche. ◈ 3, pl. Clément-Ader, 75016 • plan A4 • 01 44 14 91 91 • €€€€.

⟶ **Remarque** : sauf indication contraire, tous les restaurants acceptent les cartes de paiement et proposent des plats végétariens.

Gauche **Sacré-Cœur** Centre **Espace Montmartre-Salvador-Dalí** Droite **Place Pigalle**

Montmartre et Pigalle

L e nom de Montmartre dérive de « monts de martyrs » car c'est ici que saint Denis, premier évêque de Paris, fut décapité par les Romains en 250. Point culminant de la capitale, « la Butte », comme l'appellent les Parisiens, reste étroitement associée aux peintres et aux poètes, tels Picasso et Apollinaire, et à leur mode de vie bohème de la fin du XIXe et du début du XXe siècle. Place du Tertre, des artistes exécutent des portraits pour les touristes. Ces derniers grimpent en masse jusqu'au parvis du Sacré-Cœur pour admirer la vue prodigieuse. Il reste cependant possible de découvrir les charmes du Montmartre villageois et populaire dans certaines rues, ruelles et petites places. En bas de la Butte, Pigalle abritait autrefois des cabarets et des bals populaires qui firent sa renommée. Aujourd'hui, le quartier est envahi par les sex-shops et les spectacles érotiques, notamment sur le boulevard de Clichy.

Peintre des rues, Montmartre

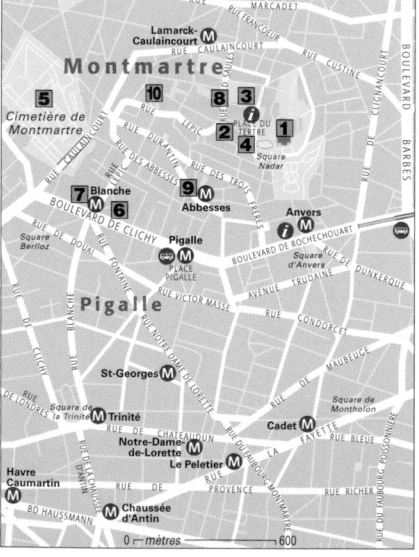

Les sites

1. Sacré-Cœur
2. Espace Montmartre-Salvador-Dalí
3. Musée de Montmartre
4. Place du Tertre
5. Cimetière de Montmartre
6. Musée de l'Érotisme
7. Moulin Rouge
8. Au Lapin agile
9. Place des Abbesses
10. Moulin de la Galette

1 Sacré-Cœur
p. 22-23.

2 Espace Montmartre-Salvador-Dalí
Plus de 300 œuvres, sculptures (les célèbres *Montres molles en bronze*), lithographies et sérigraphies sont exposées, le tout animé par des effets spéciaux assez réussis où résonne la voix de Dalí *(p. 37)*. Le musée reste incontournable pour les admirateurs de l'artiste surréaliste *(p. 144)*, même si les œuvres exposées ne sont pas les plus connues de Dalí.
◈ *11, rue Poulbot, 75018 • plan F1*
• *ouv. t.l.j. 10h-18h (juil.-août 20h)*
• *www.daliparis.com • EP.*

3 Musée de Montmartre
Le musée est installé dans le Manoir de La Rose, une belle maison de campagne où vécut au XVIIe s. le comédien Claude de La Rose, dit Rosimond. En 1875, Renoir fut l'un des artistes à en louer une partie pour y installer son atelier. Le musée retrace l'histoire de Montmartre depuis le XIIe s. au travers de souvenirs, de dessins, d'affiches et de photographies. L'accent est mis sur le Montmartre bohème de la Belle Époque, avec notamment la reconstitution d'un bistrot du XIXe s. ◈ *12, rue Cortot, 75018 • ouv. mar.-dim. 11h-18h*
• *ferm. 1er janv., 1er mai, 25 déc.*
• *www.museedemontmartre.fr • EP.*

4 Place du Tertre
À 130 m, l'ancienne place du village de Montmartre est le point culminant de la capitale. Littéralement envahie par les portraitistes, les restaurants et les cafés touristiques, la place a perdu tout son charme, devenant un véritable piège à touristes, même si elle est fort bien éclairée la nuit. Au n° 21 se trouve le syndicat d'initiative de Montmartre qui est bien documenté. À quelques mètres, l'église Saint-Pierre-de-Montmartre (v. 1133), l'une des plus anciennes de Paris, est le seul vestige de l'abbaye bénédictine désaffectée à la Révolution. ◈ *Plan F1.*

5 Cimetière de Montmartre
Le principal cimetière du quartier est situé sur une ancienne carrière de plâtre et il est beaucoup plus paisible que son environnement ne le laisse supposer. L'architecture de certaines tombes est somptueuse et il recèle plusieurs magnifiques sculptures. De très nombreuses célébrités y reposent, parmi lesquelles les compositeurs Hector Berlioz et Jacques Offenbach, les écrivains Stendhal et Alexandre Dumas, le danseur russe Nijinski et le réalisateur François Truffaut. ◈ *20, av. Rachel, 75018 • plan E1.*

Statue du Passe-Muraille, place Marcel-Aymé

Visiter Paris – Montmartre et Pigalle

Les vignes de Montmartre

Même si cela paraît inimaginable, Montmartre produisait un vin de grande qualité, que certains comparaient au bordeaux et au bourgogne. Au milieu du XVIIIe s., ce vignoble parisien couvrait 20 000 ha. Aujourd'hui, les 2 000 vignes restantes produisent à peine 1 000 bouteilles par an, vendues au profit d'œuvres de bienfaisance.

Musée de l'Érotisme

Avec une collection de plus de 2 000 pièces du monde entier, ce musée présente un panorama de l'art érotique au travers de nombreux dessins, peintures, sculptures et photographies. La scénographie est particulièrement intelligente et reflète la sincérité des trois collectionneurs qui fondèrent le musée en 1997, afin de témoigner de la fascination que l'érotisme a exercé de tout temps sur les artistes : poteries précolombiennes, objets rituels, dessins grivois, etc. ✎ 72, bd de Clichy, 75018 • plan E1 • ouv. t.l.j. 10h-2h du matin • www.musee-erotisme.com • EP.

Moulin Rouge

Le Moulin Rouge, le bal populaire le plus célèbre de la Belle Époque, scandalisa tout autant les citoyens « respectables » qu'il attira de nombreux artistes de Montmartre. Henri de Toulouse-Lautrec a immortalisé cette époque en représentant de célèbres danseuses comme Jane Avril. Certaines de ses œuvres se trouvent au musée d'Orsay (p. 13). Le cabaret existe toujours et propose une revue (p. 58). ✎ 82, bd de Clichy, 75018 • plan E1 • spectacles tous les soirs à 21h et 23h (dîner à 19h) • www.moulinrouge.fr

Au Lapin agile

Ce cabaret et restaurant de la Belle Époque fut fréquenté par de nombreux artistes tels Renoir, Picasso, Apollinaire ou Verlaine. Il tient son nom de son enseigne, peinte par l'humoriste André Gill, représentant un lapin bondissant d'une casserole. « Le Lapin à Gill » est ainsi devenu Le Lapin agile (p. 146). ✎ 22, rue des Saules, 75018 • plan F1 • ouv. mar.-dim. 21h-1h • www.au-lapin-agile.com

Au Lapin agile

Moulin de la Galette

Place des Abbesses
9 Cette jolie place se trouve au pied de la Butte, au-dessus de Pigalle. Sa station de métro est la seule, avec celle de la Porte-Dauphine, à avoir conservé intacte sa verrière d'origine Art nouveau, créée par l'architecte Hector Guimard. Ce dernier décora toutes les stations de métro parisiennes de structures de fer forgé et de lanternes ambrées aujourd'hui restaurées. La verrière est l'une des plus belles. À l'entrée, l'escalier en colimaçon est orné d'une fresque murale peinte par des artistes locaux. Préférez néanmoins l'ascenseur, car c'est la station la plus profonde de la capitale (285 marches). ✎ Plan E1.

Moulin de la Galette
10 Autrefois, Montmartre comptait plus d'une dizaine de moulins pressant le raisin et moulant le blé. Celui-ci est l'un des deux derniers. En 1814, lors du siège de Paris, l'un de ses propriétaires, Pierre-Charles Debray, fut crucifié sur ses ailes par des soldats russes. Le Moulin de la Galette devint un célèbre bal populaire au XIXe s., immortalisé par Renoir et Van Gogh *(p. 144)*. C'est désormais un restaurant que l'on peut admirer de la rue Lepic, qui accueille un marché animé. ✎ 83, rue Lepic, 75018 • plan E1.

Une journée à Montmartre

Le matin

🕐 Comme pour tous les sites très touristiques, plus vous arriverez tôt au **Sacré-Cœur** *(p. 22-23)*, plus vous en profiterez en toute tranquillité *(ouv. à 8h)*. Vous aurez le reste de la matinée pour arpenter les rues de Montmartre, notamment la **place du Tertre**. Les cafés ne manquent pas, mais le plus fréquenté par les artistes est le Clairon des chasseurs *(3, pl. du Tertre ; 01 42 62 40 08)*.

Les amateurs du surréalisme pourront ensuite visiter l'**Espace Montmartre-Salvador-Dalí** *(p. 141)*. Terminez votre promenade en empruntant la rue des Saules pour déjeuner à La Maison rose *(2, rue de l'Abreuvoir ; 01 42 57 66 75)*, un joli restaurant rose peint par Maurice Utrillo.

L'après-midi

Après le déjeuner, vous pouvez visiter le **musée de Montmartre** voisin *(p. 141)*, les vignes de Montmartre et le charmant cimetière Saint-Vincent où est enterré Utrillo.

Dirigez-vous ensuite vers la rue Lepic pour voir le **Moulin de la Galette**, avant de descendre vers le boulevard de Clichy. Visitez le **musée de l'Érotisme**, bien plus instructif que les sex-shops et les peep-shows.

🍷 À l'est, La Fourmi *(74, rue des Martyrs ; 01 42 64 70 35)* est un bar idéal pour prendre l'apéritif, avant de terminer la soirée par le spectacle du célèbre **Moulin Rouge**.

Gauche **Sculpture de Dalí** Centre **Pablo Picasso** Droite *Bal du Moulin de la Galette*, **Renoir**

Artistes de Montmartre

1 Pablo Picasso

Picasso (1881-1973) a peint *Les Demoiselles d'Avignon* en 1907 alors qu'il vivait au Bateau-Lavoir. Ce célèbre tableau est considéré comme le point de départ du mouvement cubiste que Picasso initia avec ses amis Georges Braque et Juan Gris.

2 Salvador Dalí

Le peintre surréaliste catalan (1904-1989) arriva et exposa pour la première fois à Paris en 1929. Il avait un atelier à Montmartre et son œuvre est aujourd'hui à l'honneur à l'Espace Montmartre-Salvador-Dalí *(p. 141)*.

3 Vincent Van Gogh

Ce génial Hollandais (1853-1890) vécut quelques temps au n° 54 rue Lepic. Certaines de ses premières œuvres sont inspirées du Moulin de la Galette *(p. 143)*.

4 Pierre-Auguste Renoir

Renoir (1841-1919) puisa également son inspiration au Moulin de la Galette alors qu'il vivait au n° 12 rue Cortot. Il fut aussi l'un des nombreux habitués du Lapin agile *(p. 142)*.

5 Édouard Manet

Manet (1832-1883) fréquenta longtemps Montmartre. Ses nus audacieux – comme le célèbre *Olympia (p. 13)* – scandalisèrent le monde de l'art de l'époque.

6 Maurice Utrillo

Véritable enfant de Montmartre, Utrillo (1883-1955) peignit souvent l'Auberge de la Bonne-Franquette. Il vécut avec sa mère, Suzanne Valadon, peintre elle aussi, au n° 12 rue Cortot, qui abrite désormais le musée de Montmartre *(p. 141)*.

7 Henri de Toulouse-Lautrec

Plus que tout autre artiste, Henri de Toulouse-Lautrec (1864-1901) reste étroitement associé à Montmartre pour ses nombreuses œuvres et affiches représentant des danseuses du Moulin Rouge et autres bals populaires *(p. 13)*.

8 Raoul Dufy

Le peintre Dufy (1877-1953) s'installa Villa Guelma, sur le boulevard de Clichy, à partir de 1911. Il était alors à l'apogée de sa carrière.

Toulouse-Lautrec

9 Amedeo Modigliani

Cet artiste italien (1884-1920), peintre et sculpteur, arriva à Paris en 1906. Il avait alors 22 ans et fut grandement influencé par Toulouse-Lautrec et les autres artistes montmartrois.

10 Edgar Degas

Né à Paris en 1834, Degas vécut pratiquement toute sa vie dans la capitale. Habitant la plupart du temps à Montmartre, il y mourut en 1917. Il est enterré au cimetière de Montmartre *(p. 141)*.

Gauche **Art brut, Halle Saint-Pierre** Droite **Marché de la rue du Poteau**

TOP 10 Échapper à la foule

1 Saint-Jean-l'Évangéliste-de-Montmartre
L'église, qui a été achevée en 1904, mélange architecture mauresque et Art nouveau. ✆ 21, rue des Abbesses, 75018 • plan E1 • ouv. t.l.j. • EG.

2 Mairie du XVIIIe arrondissement
Cet édifice néoclassique abrite deux belles toiles d'Utrillo et une cour avec verrière. ✆ 1, pl. Jules-Joffrin, 75018 • métro Jules Joffrin.

3 Hameau des Artistes
De superbes jardins cachent des ateliers d'artistes. C'est privé mais vous pouvez regarder. ✆ 11, av. Junot, 75018 • plan E1.

4 Musée de la Vie romantique
George Sand se rendait souvent dans cette maison aujourd'hui consacrée à son œuvre. ✆ 16, rue Chaptal, 75009 • plan E1 • ouv. mar.-dim. 10h-18h • EP.

5 Musée Gustave-Moreau
De nombreuses œuvres de cet artiste symboliste sont présentées dans la maison où il vécut. ✆ 14, rue de La Rochefoucauld, 75009 • plan E2 • ouv. mer.-lun. 10h-12h45, 14h-17h15 • www.musee-moreau.fr • EP.

6 Halle Saint-Pierre
Ce remarquable centre culturel est spécialisé en art naïf et en art brut. ✆ 2, rue Ronsard, 75018 • plan F1 • 01 42 58 72 89 • ouv. t.l.j. 10h-18h (12h-18h août) • ferm. j.f. • EP.

7 Cité Véron
Cette impasse abrite l'Académie des arts chorégraphiques, une prestigieuse école de danse. ✆ 92, bd de Clichy, 75018 • plan E1.

8 Square Suzanne-Buisson
Baptisée en l'honneur d'une célèbre résistante, c'est une place très romantique. ✆ Plan E1.

9 Marché de la rue du Poteau
Cet agréable marché de produits frais est loin des itinéraires touristiques. ✆ Métro Jules-Joffrin.

10 Crypte du Martyrium
Cette chapelle du XIXe s. simple et paisible, se dresse à l'endroit où saint Denis, patron de Paris, aurait été décapité par les Romains en 250. ✆ 11, rue Yvonne-Le Tac, 75018 • plan E1 • 01 42 23 48 94 • ouv. ven. 15h-18h • EP.

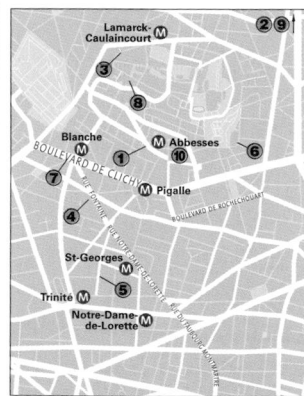

Gauche **Au Lapin agile** Droite **Moulin Rouge**

TOP 10 Cabarets et clubs

1 Au Lapin agile
Des artistes, tels Verlaine et Renoir, fréquentaient ce cabaret, mettaient le couvert et poussaient la chansonnette. Picasso y régla une note avec l'un de ses *Arlequin (p. 142)*.

2 Moulin Rouge
Aussi vieux que la tour Eiffel (1889), le cabaret est un symbole de Paris pour le monde entier. Une revue de 60 Doris Girls y perpétue le french cancan de la Goulue *(p. 142)*. 🕭 *82, bd de Clichy, 75018 • plan E1.*

3 Autour de midi et minuit
Dégustez une cuisine de bistrot délicieuse avant d'aller écouter du jazz dans la cave voûtée. 🕭 *11, rue Lepic, 75018 • plan E1 • ferm dim.-lun., fin fév., août.*

4 Chez Madame Arthur
Ce cabaret, célèbre pour ses imitations et ses numéros d'artistes, présente un spectacle de travestis et de transsexuels. 🕭 *75 bis, rue des Martyrs, 75018 • plan E1.*

5 La Nouvelle Ève
C'est l'un des cabarets les moins connus de la capitale, mais ses spectacles n'en sont pas moins très professionnels. 🕭 *25, rue Fontaine, 75009 • plan E1.*

6 Hammam-Club
Ce restaurant nord-africain se transforme en fin de soirée en boîte de nuit. 🕭 *94, rue d'Amsterdam, 75009 • plan E1.*

7 Cabaret Michou
Le spectacle est assuré par des travestis dans l'esprit d'un cabaret de Montmartre. 🕭 *80, rue des Martyrs, 75018 • plan E1.*

8 Folie's Pigalle
Cet ancien club de strip-tease – banquettes rouges et dorures aux murs – est l'une des boîtes de nuit les plus appréciées par la communauté gay. 🕭 *11, pl. Pigalle, 75018 • plan E1.*

9 La Machine du Moulin Rouge
Le lieu immense, à côté du Moulin Rouge, est un club et accueille des concerts. 🕭 *90, bd de Clichy, 75018 • plan E1.*

10 Le Divan du monde
On y entend de la musique du monde entier à l'occasion de concerts et autres spectacles. 🕭 *75, rue des Martyrs, 75018 • plan E1.*

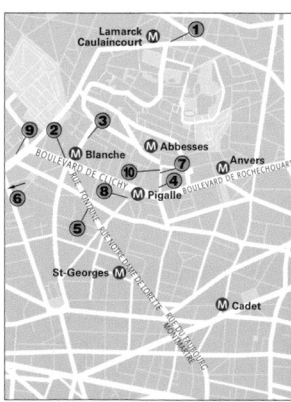

Les clubs de jazz **p. 62-63**

Café Burq

Catégories de prix

Pour un repas avec entrée, plat et dessert, une demi-bouteille de vin, taxes et service compris.

€ moins de 30 €
€€ 30 à 40 €
€€€ 40 à 50 €
€€€€ 50 à 60 €
€€€€€ plus de 60 €

🔟 Où manger

1 Café Burq
Un bistrot montmartrois typique à la clientèle branchée. Le camembert grillé au miel est à goûter. ✆ 6, rue Burq, 75018 • plan E1 • 01 42 52 81 27 • ferm. à midi, dim., 1 sem. à Noël • PAH • €€.

2 Barramundi
Une cuisine internationale savoureuse. ✆ 3, rue Taitbout, 75009 • plan E3 • 01 47 70 21 21 • ferm. sam. midi, dim., 2 dern. sem. d'août • €€.

3 La Table d'Eugène
Ce restaurant chic sert une cuisine gastronomique à prix raisonnables. ✆ 18, rue Eugène-Sue, 75018 • plan E1 • 01 48 78 62 73 • ferm. dim.-lun. • €€.

4 Chez Jean
Le restaurant, qui a obtenu une étoile au *Michelin*, propose une excellente cuisine contemporaine. ✆ 8, rue Saint-Lazare, 75009 • plan E1 • 01 48 78 62 73 • ferm. sam.-dim., août • €€€€.

5 Le Pétrelle
Décoration originale et excellent menu à base de produits locaux inventifs. ✆ 34, rue Pétrelle, 75009 • plan F1 • 01 42 82 11 02 • ouv. mar.-sam. le soir seul. • ferm. 1er w.-e. de mai, août • €€€.

6 Rose Bakery
Quiches carrées, gâteau aux carottes et puddings caramélisés ont fait la réputation de ce lieu. ✆ 46, rue des Martyrs, 75009 • plan F2 • 01 42 82 12 80 • ferm. lun. et le soir • €.

7 Charlot « Roi des Coquillages »
Cette brasserie Art déco est spécialisée dans les fruits de mer. ✆ 12, place de Clichy, 75009 • plan E1 • 01 53 20 48 00 • PAH • €€€€.

8 L'Entracte
Un bistrot hors des sentiers battus qui sert des plats tout simples mais savoureux. ✆ 44, rue d'Orsel, 75018 • plan E1 • 01 46 06 93 41 • ferm. lun., mar., août • PAH • €€.

9 Hôtel Amour
Le restaurant confortable d'un hôtel branché sert une cuisine aux accents anglais. ✆ 8, rue de Navarin, 75009 • plan F2 • 01 44 63 04 33 • ferm. sam. midi, dim. • €.

10 Au Négociant
Ce bar à vins propose des plats simples. ✆ 27, rue Lambert, 75018 • plan E1 • 01 46 06 15 11 • ferm. sam. dim., août • PAH • €.

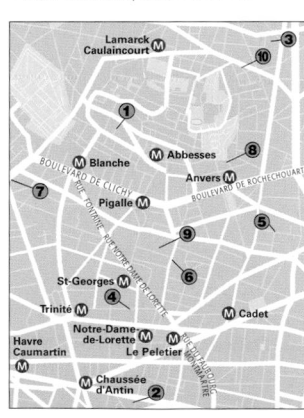

Remarque : sauf indication contraire, tous les restaurants acceptent les cartes de paiement et proposent des plats végétariens.

Gauche **Bois de Boulogne** Centre **Cimetière du Père-Lachaise** Droite **Parc Monceau**

En dehors du centre et aux environs

Il ne fait aucun doute que le centre de la capitale offre une grande variété de visites et de promenades mais, s'il vous reste un peu de temps, n'hésitez pas à vous en éloigner. Le métro et le RER desservent rapidement d'autres destinations, à commencer par le château de Versailles, le somptueux palais de Louis XIV, ou le parc d'attractions de Disneyland Resort Paris. À l'ouest, le quartier de la Défense, d'une architecture ultramoderne remarquable, est avant tout un quartier d'affaires mais comporte également un grand centre commercial et plusieurs curiosités. Plus près, les deux principaux parcs de la capitale, le bois de Boulogne et le bois de Vincennes, offrent de multiples activités de plein air et de belles possibilités de promenades. Enfin, dans Paris, on peut voir de superbes tombes dans deux grands cimetières où reposent de nombreuses célébrités.

🔟 Les sites

1. Versailles
2. Disneyland Resort Paris
3. La Défense
4. Bois de Vincennes
5. Bois de Boulogne
6. Parc de la Villette
7. Montparnasse
8. Cimetière du Père-Lachaise
9. Parc Monceau
10. Musée Marmottan-Claude Monet

Sculptures, Versailles

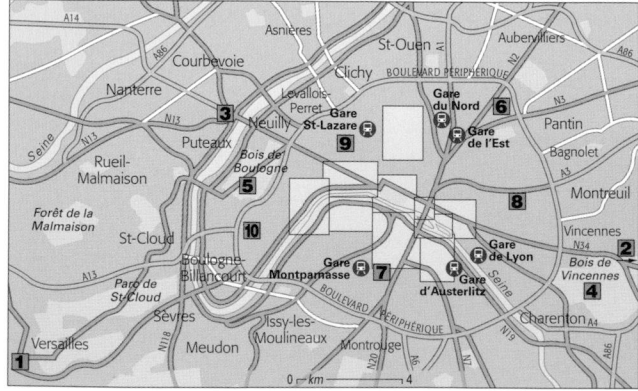

Double page précédente **Jardins de Versailles**

1 Versailles

Le magnifique château, entrepris par Louis XIV en 1664, est impressionnant, tant par sa taille que par son opulence. Choisissez ce qui vous intéresse le plus car une journée ne permet pas de tout voir, d'autant que les files d'attente peuvent être longues pour les visites guidées de certaines parties du château *(p. 154)*. ◈ *Versailles, 78000 • RER ligne C Versailles-Rive gauche • château ouv. avr.-oct. : mar.-dim. 9h-18h30 ; nov.-mars : mar.-dim. 9h-17h30 (jardins ouv. t.l.j. 8h-20h30 ; 18h en hiver) • ferm. j.f. • www.chateauversailles.fr • EP.*

2 Disneyland Resort Paris

Les enfants adorent ce célèbre parc de loisirs et même les parents les plus sceptiques apprécieront la qualité et la créativité de certaines attractions comme « Les Pirates des Caraïbes » ou « La Maison hantée » *(p. 60)*, toutes deux très impressionnantes. Le parc Walt Disney Studios propose de nombreuses attractions et spectacles autour du monde du cinéma et de la télévision. ◈ *Marne-la-Vallée • RER ligne A Marne-la-Vallée Chessy/Disneyland • parc Dysneyland ouv. juil-août : t.l.j. 9h-23h ; sept-juin : t.l.j. 9h-20h • parc Walt Disney Studios ouv. juil-août : t.l.j. 9h-20h ; sept-juin : t.l.j. 9h-18h • www.disneylandparis.com • EP.*

3 La Défense

À l'ouest de Paris, après la ville de Neuilly, ce quartier ultramoderne, en perpétuelle transformation, est une grande réussite de l'architecture contemporaine. Son immense esplanade est bordée de hauts immeubles. La Grande Arche, cube évidé monumental revêtu de verre et de marbre blanc, s'intègre dans la perspective depuis le palais du Louvre. Le quartier d'affaires dispose de nombreux logements, d'un immense centre commercial, de cafés et de restaurants, de plusieurs cinémas et du CNIT. ◈ *Métro Esplanade-de-la-Défense ou RER ligne A Grande-Arche-de-la-Défense.*

4 Bois de Vincennes

Au sud-est de la ville, les immenses espaces verts du bois de Vincennes abritent plusieurs lacs – dont un pour le canotage – de magnifiques jardins, l'Institut international bouddhique et un parc de loisirs. Le château de Vincennes, résidence royale jusqu'à la construction de Versailles, possède le plus haut donjon d'Europe. Les plus courageux iront d'ici jusqu'à la Bastille en suivant la Promenade plantée, une ancienne voie ferrée, qui couvre 3,7 ha. ◈ *Vincennes, 94300 • métro Château-de-Vincennes/ RER Vincennes • parc ouv. t.l.j. aube-crépuscule ; château ouv. mai-août : 10h-18h ; sept.-avr. : 10h-17h • ferm. j.f. • www.chateau-vincennes.fr*

Vue de la Défense

Traité de Versailles

Ce traité, signé à Versailles le 28 juin 1919, règle le sort de l'Allemagne après la Première Guerre mondiale. L'Allemagne, qui doit rendre à la France les régions d'Alsace et de Lorraine, est contrainte de désarmer durablement, de réduire son armée, d'abolir la conscription, et se voit imposer de lourdes réparations financières.

5 Bois de Boulogne

Cet immense parc de 865 ha, le deuxième de la capitale, est très apprécié des Parisiens et peut être très fréquenté les weekends d'été. Il offre des activités culturelles et sportives. Il se compose de plusieurs parcs et abrite deux hippodromes *(p. 51)*, deux musées et le Jardin d'acclimatation. Il est ouvert 24h/24 mais ne vous y aventurez pas la nuit. 🖎 *Plan A2.*

6 Parc de la Villette

Créé en 1993, ce parc urbain de 35 ha au nord-est de la capitale est aussi un espace culturel à l'aménagement et à l'architecture novateurs. Il permet de traverser des jardins thématiques, des espaces de jeux pour enfants et des « folies », bâtiments cubiques dédiés chacun à une activité culturelle. Le parc relie en fait la Cité de la Musique à la Cité des Sciences et de l'Industrie. Cette dernière abrite la Géode, une salle de cinéma hémisphérique *(p. 60)*.
🖎 *30, av. Corentin-Cariou, 75019*
• *métro Porte-de-Pantin • 01 40 03 75 75*
• *horaires variables selon les lieux*
• *www.villette.com • EP pour certaines attractions.*

7 Montparnasse

Au sud de Paris, le quartier est dominé par la tour Montparnasse, haute de 210 m, qui offre une vue exceptionnelle. Célèbre rendez-vous artistique dans les années 1920, le quartier présente désormais une architecture moderne. À 5 min de marche se trouve le cimetière du Montparnasse où reposent de nombreux personnages célèbres : Maupassant, Sartre, Beauvoir, Baudelaire, Samuel Beckett *(p. 156)...* 🖎 *Métro Montparnasse-Bienvenüe • tour Montparnasse ouv. t.l.j. 9h30-23h30 (hiver : 22h30)*
• *EP • cimetière ouv. t.l.j. 8h30-17h30*
• *www.tourmontparnasse.com • EG.*

Parc de la Villette

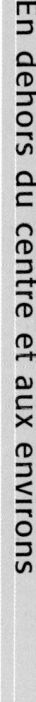

8 Cimetière du Père-Lachaise

C'est le cimetière le plus visité du monde ; les amateurs de rock viennent se recueillir sur la tombe de Jim Morrison, le chanteur des Doors. Près d'un million de personnes y sont enterrées dans quelque 70 000 tombes et caveaux, dont de nombreuses célébrités comme Chopin, Oscar Wilde, Édith Piaf, Colette, Molière ou Delacroix (p. 156). Des indications dans le cimetière permettent de trouver les tombes les plus remarquables et des plans sont en vente sur place. ◈ 16, rue du Repos • métro Père-Lachaise • 01 55 25 82 10 • ouv. lun.-sam. 8h-17h30, dim. 9h-17h30 • EG.

9 Parc Monceau

Créé en 1778 par le duc de Chartres, ce petit parc élégant reste méconnu, bien qu'il ne soit pas plus éloigné du centre de Paris que Montmartre. Il est orné de grilles monumentales et abrite de nombreuses statues, un beau pavillon et un bassin ovale entouré en partie de colonnes corinthiennes (p. 38). ◈ Bd de Courcelles, 75008 • plan D2 • ouv. 7h-20h.

10 Musée Marmottan-Claude Monet

Historien d'art, Paul Marmottan habitait cet hôtel particulier du XIXe s. qui abrite désormais la plus grande collection d'œuvres de Claude Monet (p. 13), notamment Impression, soleil levant, à l'origine du terme « impressionnisme ». La collection, léguée par le fils de l'artiste en 1966, comprend des œuvres de Renoir et Gauguin qui appartenaient à Monet. ◈ 2, rue Louis-Boilly, 75016 • métro La Muette • ouv. mar.-dim. 11h-18h • www.marmottan.com • EP.

Une journée en dehors du centre

Le matin

🕐 Vous ne pourrez pas tout faire car **Versailles** (p. 151) et **Disneyland Resort Paris** nécessitent chacun au moins une journée complète de visite.

💻 Si vous souhaitez effectuer plusieurs visites, prenez le métro jusqu'à **Montparnasse** et montez au sommet de la tour Montparnasse pour jouir de la vue et prendre un café au bar panoramique.

Prenez ensuite le boulevard Edgar-Quinet qui mène à l'entrée du **cimetière du Montparnasse** (sur la droite). Prévoyez 1 heure pour découvrir les tombes des nombreuses célébrités qui y sont enterrées.

Dirigez-vous ensuite vers le métro Vavin pour déjeuner au célèbre café-brasserie **La Coupole** (p. 157).

L'après-midi

Prenez le métro à Vavin, changez à Réaumur-Sébastopol puis sortez à **Père-Lachaise** pour visiter cet autre célèbre cimetière parisien. Prévoyez 1 heure ou 2 pour partir à la recherche des tombes de personnages célèbres tout en admirant l'architecture de certains tombeaux.

💻 Faites ensuite une pause au petit café Le Saint-Amour (2, av. Gambetta ; 01 47 97 20 15 ; métro Père-Lachaise). Reprenez le métro et changez à Nation pour vous rendre au **bois de Vincennes** où vous pourrez admirer le château et vous promener tranquillement.

Gauche **Cour de marbre** Droite **Jardins du château**

Château de Versailles

1 Galerie des Glaces
La spectaculaire galerie des Glaces, une salle d'apparat somptueuse de 70 m de long, a été magnifiquement restaurée. C'est ici que fut signé en 1919 le traité de Versailles qui mit fin à la Première Guerre mondiale.

2 Chapelle royale
Cette chapelle éclatante est considérée comme l'un des plus beaux édifices baroques du pays. Achevée en 1710, elle est d'une grande élégance avec ses colonnes corinthiennes en marbre blanc et ses fresques.

3 Salon de Vénus
Une statue de Louis XIV se dresse au centre de cette salle délicate, essentiellement décorée de marbre et ornée de beaux plafonds. Le fondateur du château y apparaît dans toute sa gloire.

4 Chambre de la Reine
Dix-neuf princes et princesses sont nés dans cette chambre, restaurée pour retrouver son apparence de 1789, date à laquelle elle fut utilisée pour la dernière fois par Marie-Antoinette.

5 Cour de marbre
Cette magnifique cour de marbre blanc et noir fait partie du château d'origine, quand les ailes nord et sud n'étaient pas encore construites. On y accède en traversant la vaste cour pavée qui s'étend devant la façade principale du château.

6 Opéra
Cet opéra d'une richesse éblouissante fut construit en 1770 pour célébrer les noces du dauphin, le futur Louis XVI, et de Marie-Antoinette. Le parterre a été habilement conçu de manière à pouvoir être réaménagé mais aussi surélevé jusqu'à la scène.

7 Trianons
Au sud-est des jardins, Louis XIV et Louis XV ont respectivement fait construire le Grand et le Petit Trianon. Ce dernier fut ensuite offert à Marie-Antoinette par Louis XVI.

8 Jardins
Les jardins sont ornés de nombreuses statues et composés d'allées ombragées, de massifs et de bosquets, de fontaines et de bassins, et d'une orangerie. La magnifique fontaine de Neptune se trouve au nord de l'aile nord.

9 Salon d'Apollon
La salle du trône est l'une des pièces les plus grandioses du château. Elle conserve un immense portrait de Louis XIV dans toute sa majesté. Dédié à Apollon, le salon témoigne de l'image des rois de France, qui se voulaient d'ascendance divine.

10 Grande Écurie du roi
Les magnifiques écuries, aux volumes impressionnants, ont été restaurées. Elles abritent aujourd'hui la célèbre école équestre Bartabas.

 Tous les lieux n'étant pas ouverts en même temps, vérifiez en arrivant.

Gauche **Canotage sur le lac** Droite **Le bois de Boulogne à vélo**

TOP10 Découvrir le bois de Boulogne

1 Parc de Bagatelle
Ce parc possède de superbes espèces d'arbres et de plantes. Son plus bel ornement est la magnifique roseraie.

2 Pré-Catelan
Au centre du bois de Boulogne, ce parc se trouve dans celui de Bagatelle. Il comporte de très beaux jardins, un splendide hêtre pourpre de 6,60 m de circonférence, âgé de 200 ans, et un excellent restaurant éponyme *(p 157)*.

3 Jardin d'acclimatation
L'ancien jardin zoologique est devenu un petit parc d'attractions, même s'il reste quelques animaux qui raviront les enfants : ours, daims, vaches, lapins, etc. *(p. 61)*.

4 Lacs
Deux lacs se trouvent l'un près de l'autre. Le lac Inférieur, ou Grand Lac, entoure deux îles reliées par un pont. Bateau à moteur et canots de location permettent d'aller sur les îles.

Jardin Shakespeare

5 Observation des oiseaux
Une réserve ornithologique protège des milliers d'oiseaux près de la Grande cascade. Meilleure saison au printemps.

6 Stade Roland-Garros
Ce haut-lieu du tennis sur terre battue accueille tous les ans, en juin, les prestigieux Internationaux de France.

7 Château de Longchamp
Le baron Haussmann aménagea le bois de Boulogne en même temps que le centre de la capitale *(p. 45)*. Ce château lui fut offert en remerciement par Napoléon III.

8 Jardin Shakespeare
Dans le Pré-Catelan, ce petit jardin reconstitue les paysages d'œuvres de Shakespeare. Un théâtre en plein air y est installé.

9 Serres d'Auteuil
Ce jardin du XIXe s. possède des serres où sont cultivées des plantes ornementales en pots. Au centre, se trouve le palmarium avec ses plantes tropicales.

10 Courses de chevaux
Le bois de Boulogne abrite deux champs de courses. À l'ouest, l'hippodrome de Longchamp accueille les courses de plat tel le Prix de l'Arc de Triomphe *(p. 57)* ; à l'est, l'hippodrome d'Auteuil sert pour les steeple-chases.

Le bois de Boulogne **p.152**

Gauche **Cimetière du Père-Lachaise** Centre **Tombe d'Édith Piaf** Droite **Tombe de Jim Morrison**

Tombes célèbres

Visiter Paris – En dehors du centre et aux environs

1 Jim Morrison, cimetière du Père-Lachaise

Le chanteur des Doors passa les derniers mois de sa vie à Paris où il mourut accidentellement en 1971. Ses admirateurs continuent d'affluer du monde entier et couvrent sa tombe d'inscriptions et de marques d'affection.

2 Oscar Wilde, cimetière du Père-Lachaise

Mort à Paris en 1900, le célèbre écrivain d'origine irlandaise conserva son esprit sarcastique jusque sur son lit de mort. Impossible de manquer sa tombe ornée d'un sphinx monumental sculpté par Jacob Epstein.

3 Frédéric Chopin, cimetière du Père-Lachaise

Né en Pologne en 1810, le compositeur polonais mourut à Paris en 1849. Sa tombe est ornée de son profil et d'une charmante statue de la muse Érato.

4 Édith Piaf, cimetière du Père-Lachaise

Surnommée « le petit moineau », Piaf est née dans le quartier populaire de Belleville en 1915, non loin de ce cimetière où elle fut enterrée en 1963 dans une sobre tombe noire *(p. 63)*.

5 Marcel Proust, cimetière du Père-Lachaise

Le grand romancier français est né à Paris en 1871. Il y est mort en 1922 et est enterré dans le caveau familial *(p. 46)*.

6 Samuel Beckett, cimetière du Montparnasse

Né en 1906, l'écrivain d'origine irlandaise fit ses études à Paris et s'y installa en 1937. Prix Nobel en 1969, il est mort à Paris en 1989. Sa tombe, une dalle de marbre, est d'une très grande sobriété *(p. 47)*.

7 Jean-Paul Sartre et Simone de Beauvoir, cimetière du Montparnasse

Unis dans la mort comme dans la vie, bien qu'ils n'aient jamais vécu ensemble, leur tombe est d'une grande simplicité. Écrivains et philosophes, ils sont nés, ont vécu et sont morts à Paris.

8 Guy de Maupassant, cimetière du Montparnasse

Auteur de nouvelles mais aussi romancier, ce grand écrivain mourut à Paris en 1893. Sa tombe, couverte d'une végétation luxuriante, est ornée d'un livre ouvert sculpté *(p. 46)*.

9 Charles Baudelaire, cimetière du Montparnasse

Né et décédé à Paris (1821-1867), chantre du spleen, Baudelaire choqua beaucoup ses contemporains en publiant *Les Fleurs du mal* en 1857.

10 Famille de Charles Pigeon, cimetière du Montparnasse

La tombe de Charles Pigeon le représente lisant à la lumière de la lampe qu'il a inventée, sa femme dormant à ses côtés.

Ci-dessus **Le Dôme**

Catégories de prix

Pour un repas avec	**€** moins de 30 €
entrée, plat et dessert,	**€€** 30 à 40 €
une demi-bouteille	**€€€** 40 à 50 €
de vin, taxes et	**€€€€** 50 à 60 €
service compris.	**€€€€€** plus de 60 €

Où manger

1 Le Pré Catelan
Niché au cœur du bois de Boulogne *(p. 152)*, ce très élégant pavillon est idéal pour un dîner romantique. Route de Suresnes, bois de Boulogne, 75016 • métro Porte-Maillot • 01 44 14 41 14 • ferm. dim., lun., 2 sem. en fév., 1 sem. en oct., août • €€€€€.

2 Gordon Ramsay au Trianon
Simone Zanoni, protégé du chef britannique Gordon Ramsay, dirige les fourneaux de ce restaurant qui a 2 étoiles au *Michelin*. Hôtel Trianon Palace, 1, bd de la Reine, Versailles • RER ligne C Versailles • 01 30 84 55 56 • ferm. à midi, dim., lun., août • €€€€€.

3 Marée de Versailles
Ce restaurant est réputé pour ses poissons de saison et ses fruits de mer savoureux. 22, rue au Pain, Versailles • RER ligne C Versailles • 01 30 21 73 73 • ferm. dim. apr.-m., lun. • €€€€.

4 La Coupole
Près du cimetière du Montparnasse *(p. 152)*, cette grande brasserie Art déco propose un menu classique. 102, bd du Montparnasse, 75014 • plan E6 • 01 43 20 14 20 • €€€.

5 La Closerie des Lilas
Avec son piano bar et sa terrasse, ce restaurant est une véritable institution. La brasserie est plus abordable. 171, bd du Montparnasse, 75006 • plan E6 • 01 40 51 34 50 • €€€€€.

6 Le Dôme
La cuisine est excellente et le décor des années 1930 superbe. C'est le plus grand restaurant de poisson du quartier. 108, bd du Montparnasse, 75014 • plan E6 • 01 43 35 25 81 • ferm. dim.-lun., juil., août • €€€€.

7 La Gare
Cette brasserie élégante, aménagée dans une ancienne gare, possède une agréable terrasse. 19, chaussée de la Muette, 75016 • plan A4 • 01 42 15 15 31 • €€€.

8 Ma pomme en colimaçon
La cuisine – kangourou, poisson, pâtes ou salades – est de qualité. Parfait pour dîner après une visite au Père-Lachaise *(p. 153)*. 107, rue de Ménilmontant, 75020 • métro Gambetta • 01 40 33 10 40 • ferm. sam. midi, dim. et lun. midi, mar. midi, août • €.

9 L'Échappée
Au nord du Père-Lachaise, ce pittoresque bistrot de quartier propose d'excellents plats thaïs et des vins bon marché. 38, rue Boyer, 75020 • métro Gambetta • 01 47 97 44 58 • ouv. mer.-ven. midi, mar.-dim. soir • €.

10 Le Relais d'Auteuil
La croustade de bar au poivre est l'une des spécialités de ce restaurant gastronomique, proche du bois de Boulogne. 31, bd Murat, 75016 • métro Michel-Ange-Molitor • 01 46 51 09 54 • ouv. mar.-sam. midi • ferm. août • €€€€€.

Remarque : sauf indication contraire, tous les restaurants acceptent les cartes de paiement et proposent des plats végétariens.

MODE
D'EMPLOI

PARIS TOP 10

Gauche **Hôtel** Centre **Restaurant** Droite **Parfum français**

TOP10 Préparer le voyage

1 Quand partir
Le printemps (surtout en avril) et l'automne sont très agréables pour visiter Paris car les arbres sont superbes. L'été est aussi une bonne période car, même si de nombreux restaurants sont fermés en août, la plupart des Parisiens sont en vacances et vous pourrez profiter dans la capitale sans la foule.

2 Quel quartier
La rive gauche peut être un bon choix car elle a conservé une atmosphère particulière avec ses étudiants et ses cafés, tout comme le Marais, qui abrite d'intéressants musées, des magasins et des restaurants. L'Opéra et le Louvre sont des quartiers centraux. Les quartiers hors du centre sont bien sûr moins chers.

3 Choisir l'hôtel
Pour éviter les mauvaises surprises – chambre bruyante ou minuscule –, n'hésitez pas à visiter les chambres. Demandez quelle est la station de métro la plus proche de l'hôtel et s'il y a un ascenseur, car certains immeubles anciens n'en sont pas équipés.

4 Quel restaurant
Réservez longtemps à l'avance pour dîner dans un grand restaurant. Sachez toutefois que Paris regorge de bons établissements, mais beaucoup sont fermés le dimanche ou le lundi, ainsi qu'en août.

5 Que voir
N'établissez pas un programme trop chargé : un week-end ne suffit pas pour visiter Paris, pas plus que le musée du Louvre d'ailleurs (p. 8-11). Si vous restez plus longtemps, ne soyez pas trop ambitieux et prenez le temps de flâner ou de vous détendre dans un café comme le font les Parisiens.

6 Qu'emporter
Comme le temps est imprévisible, mieux vaut emporter un parapluie et un lainage, même en été. Prenez des chaussures confortables : Paris est une ville très agréable à découvrir à pied, même si les transports en commun sont nombreux. Seuls les très grands restaurants exigent le port de la cravate.

7 Budget et espèces
Les cartes bancaires (Visa, MasterCard, American Express) sont acceptées pratiquement partout, avec parfois une somme minimale. Vous trouverez également de très nombreux distributeurs de billets (les cartes qu'ils acceptent sont affichées), mais prévoyez toujours des espèces pour le café ou le taxi à l'arrivée.

8 Passeports et visas
Les Belges, les Suisses et les Canadiens n'ont pas besoin de visa pour un séjour de moins de trois mois. Un passeport ou une carte d'identité en cours de validité suffisent, à condition d'être valables au moins trois mois après votre séjour. Chaque individu doit être en mesure de présenter une pièce d'identité à la demande des forces de l'ordre.

9 Douanes
Les ressortissants de l'UE ne sont soumis à aucune contrainte concernant les biens destinés à leur usage personnel. Pour les autres, les produits importés sont limités à 200 cigarettes (ou autre tabac), 4 l de vin ou 2 l de vin plus 1 l de spiritueux, 60 ml de parfum, 250 ml d'eau de toilette et autres objets pour une valeur de 350 €.

10 Voyager avec les enfants
Les Parisiens apprécient peu les enfants terribles. Veillez à ce que les vôtres se tiennent bien. Dans certains hôtels, les enfants sont logés gratuitement dans la chambre de leurs parents (p. 179). Il est rare de voir des enfants au restaurant le soir. En revanche, la ville compte quantité d'activités pour les jeunes visiteurs.

◤ SORTIE

FORUM DES HALLES

Salade 3 Saveurs.
Foie gras poêlé, Saumon Mariné
Homard, Asperges, Haricots Verts.
25€

Gauche **Panneau de sortie de métro** Droite **Carte de restaurant**

🔟 Ce qu'il faut savoir

1 Sécurité
Paris est une ville relativement sûre. Si les agressions sont rares, les pickpockets et les vols sont plus courants. Prenez les précautions d'usage. Évitez les Halles, le bois de Boulogne et le bois de Vincennes à la nuit tombée, ainsi que les parties peu fréquentées du métro et du RER après 21 h.

2 Santé
Les Belges et les Suisses devront se procurer la carte européenne d'assurance maladie pour être pris en charge par la Sécurité sociale. Les Canadiens privilégieront une assurance personnelle. Pour les problèmes mineurs, demandez conseil à un pharmacien (en cas de fermeture, l'officine de garde est indiquée sur la porte).

3 Mendicité
Ne confondez pas les véritables SDF et les professionnels de la mendicité qu'on trouve dans les coins touristiques, à ignorer. Les musiciens du métro ont souvent l'autorisation de s'y produire.

4 Pickpockets
Les pickpockets sont fréquents dans les lieux touristiques et dans les transports en commun. Surveillez vos affaires. Ne mettez pas votre portefeuille dans la poche arrière de votre pantalon et assurez-vous que votre sac est bien fermé.

5 Métro et RER
Pour éviter de prendre une mauvaise direction, vérifiez le numéro et la destination finale de la ligne que vous empruntez (toutes les lignes ont une couleur différente). Dans les couloirs et sur les quais, des panneaux les indiquent clairement. Juste avant le quai, un panneau pratique donne la liste des stations desservies (p. 164). Évitez le RER en centre-ville, il est parfois difficile de s'y retrouver.

6 Titres de transport
Conservez votre titre de transport pendant tout le trajet : un contrôleur peut vous le demander à n'importe quel moment. Pensez à composter votre ticket ou à montrer votre carte en montant dans le bus.

7 Pièges à touristes
Évitez les brasseries pour étrangers, avec menus touristiques multilingues, drapeaux et photos des plats proposés (surtout dans le Quartier latin et autour du Louvre). Préférez les restaurants fréquentés par les Parisiens.

8 Cafés et bars
Il est moins cher de consommer au comptoir que de s'installer à une table ou en terrasse. Les prix, réglementés, sont normalement toujours affichés.

9 Pourboires
Dans les cafés et les restaurants, le service est compris : ne laissez un pourboire que si vous êtes satisfait (environ 10 % de la note). Il est plus habituel de laisser un pourboire pour les taxis (1 ou 2 €), pour les portiers dans les hôtels (2 à 3 € par bagage) ainsi que pour les ouvreuses dans les théâtres (2 €).

10 Files d'attente
Les sites touristiques ont fait des efforts considérables pour réduire les files d'attente. Presque tous proposent l'achat de billets en ligne, parfois même pour des horaires précis (comme la tour Eiffel). Sinon, arrivez tôt ou profitez des nocturnes.

File d'attente à Notre-Dame

Mode d'emploi

16

Gauche **Train Eurostar** Centre **Glacier, gare du Nord** Droite **Navette Orlyval**

TOP 10 Arriver à Paris

1 Aéroport CDG
À 23 km au nord de Paris, l'aéroport Roissy-Charles-de-Gaulle est le principal aéroport de la capitale, tant pour les vols internationaux que locaux. Ses terminaux sont immenses et très éloignés l'un de l'autre : assurez-vous de celui que vous devez rejoindre. ◈ *CDG information : 39 50.*

2 Transferts de l'aéroport CDG
L'aéroport est relié au centre par des navettes : celle d'Air France s'arrête à Porte-Maillot, Étoile et Montparnasse, celle de Roissy Bus au métro Opéra. La ligne de RER B rejoint directement Gare-du-Nord, Les Halles et Saint-Michel. Il faut au moins 40 min en taxi pour relier le centre de Paris, pour environ 50 €.

3 Aéroport d'Orly
À 14 km au sud de Paris, l'aéroport d'Orly possède deux terminaux assez proches l'un de l'autre. Celui d'Orly-Sud accueille principalement les vols internationaux ainsi que les compagnies étrangères, celui d'Orly-Ouest est réservé essentiellement aux vols intérieurs d'Air France. ◈ *Orly information : 39 50.*

4 Transferts de l'aéroport d'Orly
Des navettes Air France assurent la liaison entre l'aéroport et les stations de métro Étoile, Invalides et Montparnasse. Le train express Orlyval dessert les deux terminaux d'Orly depuis Antony, via la ligne B du RER. En revanche, les indications Orly sur le RER C mènent à la ville d'Orly, loin de l'aéroport. En taxi, comptez 30 min, pour environ 40 €.

5 Liaisons Orly-CDG
Les cars Air France assurent la navette entre l'aéroport Roissy-Charles-de-Gaulle et l'aéroport d'Orly, et vice-versa. Vous pouvez aussi relier les deux aéroports par le RER B puis l'Orlyval ou par taxi (environ 60 €).

6 Aéroport de Beauvais-Tillé
L'aéroport de Beauvais-Tillé, à 70 km au nord de Paris, est surtout utilisé par certaines compagnies low cost. Il peut être intéressant pour les visiteurs arrivant du Canada et transitant par Londres. Il est relié à la capitale par une navette au départ de la porte Maillot (15 €, comptez 1 h 15 de trajet).

7 En train
Paris compte six grandes gares. La gare du Nord dessert le Nord de la France et accueille le Thalys et l'Eurostar. La gare de Lyon relie le Sud, la gare de l'Est dessert l'Est et Montparnasse l'Ouest. Les autres gares sont affectées à des destinations plus locales.

8 Par la route
Toutes les autoroutes rejoignent le boulevard périphérique qui ceinture la capitale et comporte de nombreuses portes pour entrer dans Paris. Renseignez-vous au préalable pour savoir laquelle emprunter.

9 Stationnement
Pour utiliser les horodateurs, achetez une carte prépayée dans un bureau de tabac (www.parkingsdeparis.com). On trouve de nombreux parcs de stationnement souterrains dans la ville, propres et sûrs.

10 En bus
La compagnie Eurolines dessert de très nombreux pays européens. Ses bus partent de la gare routière internationale, située à l'est de la capitale. Elle est desservie par le métro Gallieni (ligne 3) et par une station de taxis.

Bus de la compagnie Eurolines

Information
Réservation

Gauche **Panneau des offices de tourisme parisiens** Droite **Magazines de spectacles**

10 Où se renseigner

1 Office de tourisme de Paris

Le principal office se trouve près de la station de métro Pyramides. Il permet de réserver hôtels ou visites.
◎ *25, rue des Pyramides, 75001 • plan M3 • 0892 683 000 (0,34 €/min) • ouv. mai-oct. t.l.j. 9h-19h, nov.-avr. t.l.j. 10h-19h • ferm. 1er mai • www. parisinfo.com*

PARIS
Convention
and Visitors Bureau
Office du tourisme

2 Espace du tourisme d'Île-de-France

Ce service couvre Paris et la région parisienne, et dispose de bureaux dans les aéroports et les gares de la capitale. Son site Internet regorge d'informations utiles – agenda des événements, idées de balades, cartes et plans, etc. ◎ *01 60 43 33 33 • www.nouveau-paris-ile-de-france.fr*

3 Office de tourisme français

Les visiteurs étrangers pourront préparer leur voyage à Paris depuis leur pays d'origine car il y a des bureaux dans la plupart des grandes capitales étrangères.

4 Sites Internet

Les deux sites Internet de l'office de tourisme proposent de très nombreuses informations : www.paris.fr et www.parisinfo.com

5 À nous Paris

Ce magazine hebdomadaire gratuit est disponible dans les stations de métro. Vous y trouverez de nombreuses informations sur les événements culturels.

6 Officiel des spectacles et Pariscope

Ces deux guides sont vendus en kiosque. Ils présentent tous les spectacles et manifestations de la semaine à Paris et en région parisienne.

7 Sorties et vie culturelle

Certains journaux proposent un supplément hebdomadaire couvrant toute l'actualité culturelle de la capitale : cinéma, théâtre, musique, danse, expos et spectacles pour enfants, sans oublier le shopping et les restaurants. *Télérama* et *Le Figaroscope* sont en vente en kiosque le mercredi, *Le Nouvel Observateur* le jeudi.

8 Médias

La chaîne nationale France 3 et Paris Première (proposée dans la plupart des hôtels) sont des chaînes de télévision diffusant des informations sur les actualités générales et cuturelles de la capitale. Outre les radios nationales, les radios parisiennes telles que FIP (105.1 FM) vous indiquent les bonnes idées de sorties ainsi que l'état de la circulation et la météo.

9 Bibliothèques

Les bibliothèques publiques sont nombreuses et gratuites. La plupart présentent un choix de journaux et de magazines, mais aussi des informations utiles aux touristes.

10 Journaux

La presse nationale, régionale ou étrangère, ainsi que les magazines peuvent être achetés dans les grandes gares et les nombreux kiosques à journaux.

Offices de tourisme français à l'étranger

www.franceguide.com

Canada
1800 av. McGill College suite 1010, Montréal, QUE H3A 3J6, • 876 9881/1866 313 7262.

Belgique et Luxembourg
21, av. de la Toison-d'Or, 1050 Bruxelles, • 0902 880 25.

Suisse
2, rue Thalberg, 1201 Genève • (22) 909 89 77.

Gauche **Sigle du métro** Centre **Plan de métro à l'extérieur d'une station** Droite **Marcheurs**

º⁄₁₀ Se déplacer à Paris

1 Métro
Les 14 lignes du métro parisien desservent toute la capitale et les rames sont fréquentes. Moyen de transport bon marché, il fonctionne d'environ 5 h 30 à 1 h (1 h 30-2 h ven., sam. et veilles de j.f.)
⬡ www.ratp.fr

2 RER
Ses horaires sont à peu près les mêmes que ceux du métro. Cinq lignes traversent Paris et permettent d'aller en grande banlieue. Les tickets de métro sont valables en zones 1 et 2, mais il faut des billets spécifiques pour les destinations situées au-delà.

3 Bus
Les bus fonctionnent de 6 h 30 à 20 h 30 et il y a 47 lignes de nuit. Horaires et itinéraires sont affichés sur les arrêts de bus, et un plan est affiché dans les stations de métro. Les tickets sont les mêmes que pour le métro (zones 1 et 2) et permettent les changements pendant 1 h 30.

Bus parisien

4 Taxis
Vous pouvez héler un taxi dans la rue si la lumière verte est allumée sur le toit, mais mieux vaut attendre à l'une des 470 stations (pictogramme de taxi sur fond bleu) ou demander à votre hôtel ou à votre restaurant d'en appeler un. Beaucoup de chauffeurs refusent de prendre plus de trois passagers. Il peut y avoir une majoration pour les bagages.

5 Arrondissements
Paris est divisé administrativement en 20 arrondissements numérotés en spirale, à partir du centre, dans le sens des aiguilles d'une montre. Ils sont mentionnés sur les panneaux portant le nom des rues. Ils sont aussi indiqués, précédés de 75, par les codes postaux (75001, 75002, etc.).

6 Demander son chemin
Les Parisiens ne refuseront jamais de vous aider si vous le leur demandez. Toutefois, comme beaucoup de provinciaux viennent s'installer à Paris, sachez que tous les gens que vous croiserez ne connaissent pas forcément bien la ville.

7 Vélo
Paris est une ville qui s'adapte au vélo. Vous pourrez en louer dans des enseignes comme Decathlon ou GoSport, ou essayer le Vélib'®, en libre-service : il y a plus de 1200 stations à Paris et proche banlieue, tous les 300 m. Le paiement s'effectue par carte bancaire à la borne.
⬡ www.velib.paris.fr

8 Rollers
Certains Parisiens se déplacent beaucoup à rollers. Les vendredis soir de 22 h à 1 h, des randonnées gratuites et encadrées réunissent des milliers de personnes au départ de Montparnasse.
⬡ www.pari-roller.com

9 Bateau
Les navettes fluviales Batobus desservent huit arrêts, correspondant aux principaux sites touristiques le long de la Seine. Pour faire plus d'un trajet par jour, achetez un billet valable 1, 2 ou 5 journées.
⬡ 0825 05 01 01 • avr.-août : 10h-21h30 (toutes les 20 min) ; sept.-mars : 10h-19h (toutes les 25 min) • www.batobus.com

10 À pied
Le centre de Paris n'est pas immense et il faut à peine plus de 1 heure pour aller de l'Arc de Triomphe jusqu'à la Bastille. N'hésitez pas à vous promener car c'est le meilleur moyen de profiter de l'architecture et de certaines vues.

Gauche **Croisière sur un canal** Centre **Signal passage piéton** Droite **Visite en bus**

Top10 Visites guidées

1 En bateau
Les bateaux-mouches fonctionnent tous les jours et organisent régulièrement des croisières avec déjeuner ou dîner (réservez à l'avance). 🔊 *Bateaux-Mouches : 01 42 25 96 10, www.bateaux-mouches.fr* • *Bateaux parisiens : 01 76 64 14 66, www.bateaux parisiens.com* • *Vedettes de Paris : 01 44 18 19 50, www.vedettesdeparis.com* • *Les Vedettes du Pont-Neuf : 01 46 33 98 38, www.vedettesdupontneuf.fr*

2 À pied
Rien ne vaut la découverte du patrimoine de Paris en écoutant les anecdotes d'un conférencier sur les coulisses de l'opéra ou l'origine du nom des rues. Des visites thématiques en tous genres sont proposées régulièrement par l'office du tourisme de Paris 🔊 *www.parisinfo.com*

3 À vélo
Plusieurs sociétés proposent des promenades guidées thématiques telles que « Paris médiéval » ou « Paris la nuit ». Les paresseux loueront un scooter chez Freescoot. 🔊 *Paris à vélo : 01 48 87 60 01, www.parisvelosympa. com* • *Paris Bike Tours : 01 42 74 22 14, www. parisbiketours.com* • *Freescoot (trois boutiques dans la capitale) : www.freescoot.fr*

4 Promenades sur les canaux
Moins connues que les promenades sur la Seine, ces excursions permettent de découvrir le réseau fascinant des canaux parisiens Un fabuleux spectacle de lumière, dû à l'artiste Keiichi Tahara, est

Enseigne de Canauxrama

présenté dans la partie souterraine du canal Saint-Martin. 🔊 *Canauxrama et Navettes de la Villette : 01 42 39 15 00* • *Paris Canal : 01 42 40 96 97.*

5 En bus
Des visites en bus à deux étages sont proposées par différentes compagnies. Renseignez-vous à l'office de tourisme de la rue des Pyramides (p. 163) : il dispose des brochures et peut faire les réservations. Ces visites durent environ deux heures, mais il est possible de descendre et de monter du bus à votre guise.

6 Visite gourmande
La société Promenades des Sens propose des visites culturelles d'un quartier contrées sur ses boutiques gourmandes. Des visites autour de la gastronomie française ou du vin sont aussi proposées par l'office de tourisme. 🔊 *Promenades des Sens : 0981 68 62 79, www. promenade-des-sens.fr*

7 Parcs et jardins
La ville de Paris organise des visites des parcs, jardins et cimetières. Renseignez-vous auprès de l'office du tourisme ou consultez le site Internet de la mairie de Paris. 🔊 *www.paris.fr*

8 Mode et boutiques
Vous pouvez louer les services d'un guide pour faire le tour des boutiques en fonction d'un thème spécifique. 🔊 *Shopping Plus : 01 47 53 91 17* • *www. frenchforaday.com*

9 Spécial enfants
Les grands musées et monuments proposent souvent des visites guidées ludiques pontuées d'ateliers. 🔊 *www.parisinfo.com*

10 Visites sportives
Le Stade de France, construit en 1998 (p. 57), se visite. 🔊 *Stade de France : 0892 700 900* • *vis. guid. à 11h, 13h, 15h et 17h, sauf si manifestations* • *www.stadefrance.com*

Gauche **Bus** Centre **Hôtel bon marché** Droite **Au comptoir**

TOP 10 Paris bon marché

1 Transports publics
De nombreux forfaits permettent d'utiliser le métro, le RER et les bus (p. 168). Essayez de trouver celui qui vous convient le mieux. Des coupons valables 1, 2, 3 ou 5 jours (appelés « Paris Visite »), donnent droit à des réductions pour certains sites.
• www.ratp.fr

2 Auberges et campings
Sans être exigeant, il est tout à fait possible de trouver un hébergement correct au centre de Paris pour 40-50 € la nuit. Les adresses ci-dessous offrent une autre alternative pour se loger. Ⓢ *Fuaj (auberges de jeunesse) : 27, rue Pajol, 75018, 01 44 89 87 27, www.fuaj.org • camping du Bois de Boulogne : 01 45 24 30 00, www.campingparis.fr*

3 Chez l'habitant
Plusieurs associations proposent des chambres chez l'habitant sur le principe du *bed and breakfast*. Elles ne coûtent parfois que 30 €

Station de métro

par personne et par nuit. Ⓢ *Bed and breakfast Paris : 01 76 60 74 75, www. 2binparis.com • Good Morning Paris : 01 47 07 28 29, www.goodmorningparis. fr • France Lodge Locations : 01 56 33 85 85/80, www.francelodge.fr*

4 Manger bon marché
Dans les cafés et les bars, il est toujours moins cher de consommer au comptoir. Dans les restaurants, les menus ou les plats du jour sont intéressants. Dans les grands établissements, le menu à midi est une formule avantageuse.

5 Théâtre et cinéma
Vous trouverez des billets demi-tarif (théâtre, concerts, ballets) pour les représentations du jour aux kiosques situés sur la place de la Madeleine (p. 97) et à Montparnasse. Les places de cinéma sont vendues à tarif réduit le matin.

6 Visites bon marché
Plusieurs musées et monuments, comme le Louvre et le musée d'Orsay, sont gratuits le 1er dimanche du mois. Tarifs réduits également pour les nocturnes. Le Paris City Passport, disponible dans les offices de tourisme, offre des réductions pour certains sites, magasins et visites.

7 Paris Museum Pass
Le Paris Museum Pass, pour 2, 4 ou 6 jours (39 à 69 €), permet un accès direct, gratuit et illimité à plus de 60 musées et monuments de Paris et des environs. Le forfait Paris Visite est valable 1, 2, 3 ou 5 jours consécutifs sur les zones 1 à 3 ou 1 à 5, sur les lignes de métro, de RER et de bus d'Île-de-France. Le pass Navigo Découverte est aussi intéressant. Ⓢ *www. parismuseumpass.fr ; www.ratp.fr ; www. navigo.fr*

8 Petit déjeuner
Le petit déjeuner – du pain avec de la confiture ou un copieux buffet – est rarement compris dans le prix de la chambre. Pour faire des économies, vous pouvez le prendre dans un café ou une boulangerie.

9 Églises
Si l'accès à l'intérieur des églises est gratuit, la visite de certains lieux (tours, cryptes, etc.) est parfois payante. Des concerts gratuits ou peu chers ont lieu à l'heure du déjeuner ou le soir.

10 Tarifs réduits
Depuis 2009, les musées nationaux sont gratuits pour les moins de 18 ans et pour les ressortissants de l'UE de moins de 26 ans (carte d'identité à présenter).

Gauche **Taxi** Droite **Musée d'Orsay**

TOP 10 Personnes handicapées

1 Pour les handicapés

Le principal office de tourisme *(p. 163)* fournit tous les renseignements concernant les aménagements prévus pour les handicapés dans la capitale.
• www.parisinfo.com

2 Organismes utiles

L'Association des paralysés de France (APF) et le Groupement pour l'insertion des personnes handicapées (GIHP) procurent des informations sur les facilités d'accès pour les handicapés.
◈ APF : 17, bd Auguste-Blanqui, 75013, 01 40 78 69 00, www.apf.asso.fr
• GIHP : 32, rue de Paradis, 75010, 01 45 23 83 60, www.gihpnational.org

3 Visites guidées

La ville de Paris organise de nombreuses visites des parcs, jardins et cimetières, spéciale-ment conçues pour les handicapés, y compris les aveugles.
• www.paris.fr

4 Itinéraires

Pour ceux qui veulent se déplacer seuls en fauteuil roulant dans le centre de Paris, l'APF dispose d'informations précises sur les quartiers accessibles de la ville (adresses ci-dessus). Le guide *Paris comme* sur des roulettes est également un outil précieux avec ses cartes en couleurs indiquant la nature des trottoirs et les infrastructures.
◈ Éditions Dakota, 45, rue St-Sébastien, 75011 (06 82 91 72 16), ou dans les magasins de rollers et les grandes librairies (FNAC, Virgin, Gibert Jeune, Maison de la presse).

5 Agence de voyages

APF Évasion, à Paris, peut se charger d'orga-niser entièrement votre séjour. ◈ APF Évasion : 17, bd Auguste-Blanqui, 75013, 01 40 78 69 00.

6 Métro/RER

Contrairement à la moderne ligne 14, très peu de stations sont facilement accessibles en fauteuil roulant. Si vous parvenez au guichet, il faut le plus souvent l'aide d'un employé pour franchir les portillons et prendre un ascenseur pour éviter les escaliers. Demandez la brochure *Handicaps et Déplacements en Île-de-France*, disponible dans les principales stations de métro et de RER.

7 Bus

Tous les bus ont des places réservées pour les personnes handicapées mais seules quelques lignes possèdent des bus aménagés qui permettent l'accès des personnes en fauteuil roulant.

8 Taxis

La loi oblige les taxis à accepter les chiens guides d'aveugles et à aider les handicapés à monter et descendre de voiture. Cela ne veut pas dire que toutes les voitures sont adaptées pour transporter un fauteuil roulant ; appelez à l'avance. ◈ Taxis G7 : 01 47 39 47 39.

9 Hôtels

Certains hôtels anciens qui n'ont pas été modernisés ne possè-dent pas d'ascenseur ; renseignez-vous lors de la réservation.

10 Visiter les sites

Certains musées et monuments ne sont pas aménagés pour permettre l'accès des fauteuils roulants, mais d'autres font leur possible pour venir en aide aux visiteurs handicapés : le Louvre a installé un ascenseur ouvert sous la pyramide. Renseignez-vous auprès de l'APF *(voir « Organismes utiles » ci-dessus)* qui diffuse une brochure spécifique.

Accès handicapés

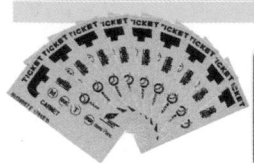

Gauche **Tickets de métro** Centre **Navigo Découverte** Droite **Carte Musées et Monuments**

TOP10 Tickets et billets

1 Métro
Les tickets de métro peuvent être achetés par carnet de 10 – ce qui revient moins cher qu'à l'unité. Chaque ticket permet un trajet et reste valable quel que soit le nombre de changements. Il doit être validé à l'entrée et conservé jusqu'à ce que vous sortiez du métro (p. 164). Si vous restez plusieurs jours à Paris, achetez plutôt le pass Navigo Découverte (avec photo d'identité) ou la carte Paris Visite (p. 166).

2 Bus
Les mêmes tickets permettent de prendre le bus, le métro et le RER dans les zones 1 et 2. Comme pour le métro, le ticket doit être validé et conservé jusqu'à la descente. Un ticket permet d'emprunter plusieurs bus pendant 1 heure 30.

3 RER
Tant que vous restez dans Paris, zones 1 et 2, vous pouvez utiliser un ticket de métro, ce qui est très pratique. Les zones sont indiquées sur des plans dans toutes les stations.

4 SNCF
Les tickets de métro émis par la RATP (Régie autonome des transports parisiens) ne sont pas valables sur le réseau de la SNCF (Société nationale des chemins de fer français) ni sur le réseau banlieue. Si vous souhaitez prendre le train pour aller, par exemple, à Versailles (p. 151), vous devrez acheter votre billet à la gare.
⊘ Rens. SNCF : 36 35
• www.sncf.com

5 Théâtres
Les places de théâtre sont en vente aux guichets des théâtres, par téléphone ou dans des agences comme la FNAC. Certains théâtres proposent des tarifs réduits pour les étudiants ou 15 min avant le début de la représentation. Deux kiosques proposent des billets à moitié prix (p. 166).

6 Cinémas
Le prix d'une place de cinéma est assez similaire à celui des autres villes européennes et il y a des réductions pour les étudiants et les plus de 60 ans. Les tarifs sont souvent réduits le matin. Les grands cinémas acceptent les cartes de paiement et les réservations par téléphone et en ligne.

7 Boîtes de nuit
Les prix des boîtes de nuit parisiennes sont assez élevés et augmentent souvent le week-end ou après minuit. Parfois, les femmes bénéficient d'une entrée gratuite. Dans la plupart des cas, l'entrée donne droit à une boisson. Les boissons sont presque toujours très chères.

8 Musées et monuments
Certains musées peuvent être gratuits et proposent des réductions (p. 166). La carte Paris Museum Pass (p. 166) permet de ne pas attendre et elle est intéressante si vous souhaitez en visiter plusieurs. Certains musées permettent de réserver en ligne. Arriver tôt reste cependant la meilleure solution.

9 Revendeurs
Attention aux revendeurs : leurs prix sont exorbitants et nombreux sont les faux revendeurs. Si vous ne parvenez pas à trouver une place, munissez-vous d'une petite affiche « Cherche une place ». Ceux qui ont une place qu'ils ne peuvent utiliser (« Place à vendre ») vous la revendront au prix normal.

10 Agences
Les billets pour tous les spectacles sont en vente au principal office de tourisme (p. 163) et dans les agences spécialisées, notamment dans les différents magasins de la FNAC et du Virgin Megastore. Ces derniers prélèvent une commission.
• www.fnac.com • www. virginmegastore.fr

Gauche **Chocolatier** Centre **Étal de marché** Droite **Boîtes de biscuits**

10 Boutiques

1 Horaires
Les grands magasins et les boutiques de chaînes sont ouverts du lundi au samedi, de 9 h 30 (ou 10 h) à 19 h. Les nocturnes (21 h ou 22 h) ont lieu le jeudi soir. Les boutiques indépendantes ouvrent à partir de 10 h ou 11 h, et ferment parfois le lundi, entre midi et 14 h et en été ; certaines ouvrent le dimanche. Quelques magasins d'alimentation sont également ouverts le dimanche matin.

2 Taxes
Incluse dans les prix, la TVA s'applique à tous les produits et ses taux varient de 7 à 19,6 %. Une partie peut en être remboursée aux Canadiens à partir de 300 € d'achat dans une même boutique (sauf tabac, alcool et alimentation). Demandez le formulaire adéquat lors de vos achats.

3 Alimentation
Les magasins de luxe tels que Hédiard ou Fauchon proposent des merveilles, superbement emballées. Si vous achetez des fromages, demandez qu'on vous les emballe sous vide. La place de la Madeleine compte plusieurs célèbres épiceries fines *(p. 98)*. Visitez également les marchés pour acheter des produits frais.

4 Vêtements
Tous les grands noms de la mode *(p. 108)* sont à Paris. Des créateurs et labels indépendants comme Antoine et Lili *(p. 88)*, ou la boutique Colette, n'existent que dans la capitale.

5 Lingerie
Les créateurs produisent de très jolis sous-vêtements. Certaines marques comme Aubade, Lejaby ou Lise Charmel sont spécialisées. Vous les trouverez dans les grands magasins ou les boutiques indépendantes.

6 Parfums et cosmétiques
Les chaînes Marionnaud et Sephora proposent un vaste choix de parfums et de cosmétiques, à des prix plutôt raisonnables. Pour des produits plus originaux, essayez Clara Molloy *(Memo Boutique, 60, rue des Saints-Pères)* ou Les Parfums de Rosine (Palais-Royal).

Chaussures de créateur

7 Grands magasins
Les Galeries Lafayette, Au Printemps et Le Bon Marché méritent une visite, ne serait-ce que pour leurs intérieurs Belle Époque *(p. 54)*. Ces grands magasins luxueux sont des temples de la mode mais proposent aussi de l'ameublement, de l'art de la table, etc.

8 Brocante, livres et affiches
Les puces de Saint-Ouen *(p. 55)* plairont aux amateurs de brocante ; le marché Malassis propose un assortiment de merveilles du XXe s. Les bouquinistes sur les quais de Seine proposent des affiches anciennes et des cartes postales.

9 Musique
Les FNAC offrent un choix considérable de CD, livres, DVD et logiciels. Le Virgin Megastore, sur les Champs-Élysées, s'étend sur plusieurs étages.

10 Papeterie
La papeterie française est très raffinée. Même les chaînes, comme Plein Ciel, vendent de jolis carnets et agendas. Parmi les magasins indépendants, citons Magna Carta *(101, rue du Bac)* et Lamartine *(118, rue de la Pompe)*, qui propose les magnifiques produits G. Lalo.

Les autres boutiques p. 54-55

Gauche **Bureau de change** Centre **Boîte aux lettres** Droite **Journaux étrangers**

TOP 10 Banques et communications

1 Cartes de paiement

Elles sont acceptées pratiquement partout et vous n'aurez aucune difficulté à les utiliser. La plus répandue est la carte Visa (carte Bleue) ; American Express et Diners Club ne sont pas toujours acceptées (commission élevée).

2 Distributeurs de billets

Ils sont extrêmement nombreux et chacun affiche les cartes acceptées. Vous n'aurez ainsi aucune difficulté à retirer de l'argent, à condition de respecter le plafond autorisé.

3 Change

Pour les Canadiens et les Suisses voulant acquérir des euros, les bureaux de change sont nombreux, notamment dans les quartiers touristiques. Si certains indiquent qu'ils ne prennent pas de

Cabine téléphonique

commission, d'autres n'hésitent pas à pratiquer des taux assez élevés. Si vous devez changer une forte somme, il est préférable de vous adresser à une banque.

4 Espèces

Veillez à garder sur vous des petites coupures pour vos achats. Comme toutes les capitales, Paris compte un certain nombre de pickpockets et de personnes indélicates pour lesquels les visiteurs sont des proies faciles. Restez vigilant.

5 Bureaux de poste

Le principal bureau de poste est situé au 52 rue du Louvre (ouvert 24 h/24 sauf de 6h à 7h30). La poste du Louvre ne fait pas de change mais traite les chèques postaux, français et internationaux, et les mandats. Pour les affranchissements classiques (lettres et cartes postales), vous pouvez acheter des timbres dans les bureaux de tabac et dans certains kiosques.

6 Téléphone

Les numéros de Paris et de sa région commencent par 01 et sont suivis de huit chiffres. Si vous appelez de l'étranger, il est inutile de composer le premier 0. Les cabines téléphoniques sont à

carte. Ces télécartes portant différentes valeurs sont en vente dans les bureaux de poste et de tabac.

7 Portables

Vérifiez avant le départ auprès de votre opérateur les tarifs des communications à l'étranger. Il est possible d'acheter des cartes prépayées dans les bureaux de tabac.

8 Cybercafés

Ils sont nombreux dans la capitale et vous ne devriez pas avoir de difficulté pour en trouver. Beaucoup de cafés proposent également un accès Wi-Fi. Essayez le café Paris-cy, *(8, rue de Jouy, 75004, 01 42 71 37 37)* ou connectez-vous sur www.cafes-wifi.com. En outre, plus de 260 sites municipaux sont dotés du Wi-Fi en accès libre.

9 Journaux et magazines

Un très grand choix de quotidiens, de journaux et de magazines, y compris étrangers, est disponible, dans les gares, les aéroports et les kiosques à journaux.

10 Télévision et radio

La plupart des hôtels – grands ou moyens – sont abonnés au câble ou au satellite et permettent ainsi d'avoir accès à de très nombreuses chaînes.

Gauche **Signal d'arrêt pour piéton** Centre **Voiture de police** Droite **Enseigne de pharmacie**

⁑10 Santé et sécurité

1 Traverser la rue
Les conducteurs parisiens ne respectent pas plus les piétons qu'ailleurs, et il est dangereux de traverser hors des passages protégés. Les piétons n'ont pas toujours la priorité à un carrefour, sauf si le feu est en leur faveur. Souvent, les automobilistes ont une flèche les autorisant à tourner à droite, alors que le feu est encore rouge pour ceux qui vont tout droit : traversez prudemment !

2 Pickpockets
Les pickpockets sont nombreux dans le métro et les quartiers touristiques comme la tour Eiffel et l'Arc de Triomphe. Si certains sont des amateurs assez facilement identifiables, d'autres sont plus professionnels ; aussi surveillez vos affaires.

3 Agressions
Il y a bien moins d'agressions dans Paris que dans la plupart des grandes capitales. Néanmoins, mieux vaut éviter les rues sombres et ne pas se déplacer seul la nuit. Soyez vigilant lorsque vous empruntez certains longs couloirs du métro lors de vos changements.

4 Police
Les commissariats de police sont nombreux ; vous trouverez leurs coordonnées dans l'annuaire. Vous pouvez également appeler la préfecture. Tous les délits doivent être déclarés, ne serait-ce que pour votre assurance.
⬥ *Préfecture de police : 01 53 71 53 71 • 24 h/24.*

5 Femmes
Les hommes français se montrent courtois le plus souvent. Si tel n'est pas le cas, soyez ferme et n'hésitez pas à demander de l'aide.

6 Assurance
Les soins médicaux sont excellents mais peuvent coûter cher pour les étrangers. Les Suisses et les Belges doivent se procurer une carte européenne d'assurance-maladie, qui permet la prise en charge de certains frais ; les autres doivent avoir une assurance appropriée. Déclarez les pertes et les vols à la police qui vous remettra un procès-verbal que vous devrez ensuite communiquer à votre assurance.

7 Hôpitaux
Les hôpitaux sont nombreux et leurs services généralement compétents. Leurs numéros de téléphone sont répertoriés dans l'annuaire, et les urgences fonctionnent 24 h/24. Vous pouvez aussi appeler l'Assistance publique. ⬥ *Assistance publique : www.aphp.fr*

8 Ambulances
Si vous avez besoin d'une ambulance, appelez le SAMU ou les pompiers qui sont tout autant habilités à intervenir en cas d'urgence.

9 Pharmacies
Les pharmacies sont indiquées par une croix verte et sont ouvertes du lundi au samedi de 9 h à 19 h (certaines 24 h/24). Chaque officine est tenue d'afficher la pharmacie de garde la plus proche. Les pharmacies vous communiqueront les coordonnées des médecins du quartier.

10 Dentistes
Ils sont répertoriés dans les pages Jaunes de l'annuaire à la rubrique « Chirurgiens-dentistes ». En cas d'urgence, appelez les urgences dentaires (attention, le prix des consultations est élevé). Le Centre médical Europe dispose d'un grand cabinet dentaire.
⬥ *SOS Dentistes : 87, bd de Port-Royal, 75013, 01 43 37 51 00 • Centre médical Europe : 01 42 81 93 33.*

Numéros d'urgence

Police
17

SAMU (ambulance)
15

Pompiers
18

Gauche **The Westin Paris-Vendôme** Centre **Hôtel Renaissance Paris Le Parc Trocadéro** Droite **Ritz**

🔟 Hôtels de luxe

1 Hôtel de Crillon
Le Crillon bénéficie d'un emplacement exceptionnel au cœur de Paris et possède l'un des meilleurs restaurants de la capitale française. Le luxe est partout, du splendide salon de marbre aux vastes chambres lumineuses. ❧ *10, pl. de la Concorde, 75008 • plan D3 • 01 44 71 15 00 • www.crillon.com • PAH • €€€€€.*

2 Four Seasons George V
Ce palace, l'un des plus luxueux et des plus branchés de la capitale, associe meubles anciens et installations modernes. Les chambres, vastes et magnifiquement décorées, disposent de superbes salles de bains en marbre. Le restaurant Le Cinq *(p. 109)* est l'une des grandes tables de la ville. ❧ *31, av. George-V, 75008 • plan C3 • 01 49 52 70 00 • www.fourseasons. com/paris • €€€€€.*

3 The Westin Paris-Vendôme
Face aux Tuileries dans un immeuble du XIXᵉ s. réalisé par Charles Garnier *(p. 97)*, l'hôtel a conservé son atmosphère paisible. Les chambres sont très bien équipées et décorées avec le souci du détail. ❧ *3, rue de Castiglione, 75001 • plan E3 • 01 44 77 11 11 • www.thewestinparis.fr • €€€€€.*

4 Lotti
Cet hôtel, proche de la place Vendôme, possède l'intimité et l'atmosphère d'un club privé. Les chambres, spacieuses et bien équipées, n'ont pas été trop modernisées, contrairement à celles d'autres établissements de même standing. ❧ *7, rue de Castiglione, 75001 • plan E3 • 01 42 60 60 62 • www.hotel-lotti-paris.com • €€€€.*

5 Meurice
Le somptueux décor à l'antique n'est pas d'origine, mais c'est à s'y méprendre ! L'hôtel a été totalement restauré : les vastes chambres, très bien équipées, ont été décorées par Philippe Starck. L'établissement est merveilleusement situé. ❧ *228, rue de Rivoli, 75001 • plan E3 • 01 44 58 10 15 • www.lemeurice. com • €€€€€.*

6 Renaissance Paris Le Parc Trocadéro
La façade de cet hôtel particulier de 1912 dissimule une cour fleurie. À l'intérieur, la décoration est un mélange subtil de décoration ancienne et de confort moderne. Le Relais du Parc *(p. 139)*, l'un des restaurants du chef Alain Ducasse, est juste à côté. ❧ *55-57, av. Raymond-Poincaré, 75016 • plan B3 • 01 44 05 66 66 • www.renaissanceleparc trocadero.com • €€€€€.*

7 Plaza Athénée
Cette vénérable institution est au cœur de l'avenue Montaigne *(p. 108)* et de ses élégantes boutiques. Le célèbre chef Alain Ducasse y dirige un restaurant *(p. 109)*. ❧ *25, av. Montaigne, 75008 • plan C3 • 01 53 67 66 65 • www.plaza-athenee-paris. com • €€€€€.*

8 Hôtel Raphaël
C'est l'un des plus beaux hôtels de Paris. Sa décoration à l'antique se retrouve dans les chambres, bien équipées. La vue est splendide depuis les étages supérieurs. ❧ *17, av. Kléber, 75016 • plan B3 • 01 53 64 32 00 • www. raphael-hotel.com • €€€€€.*

9 Ritz
Le Ritz continue d'attirer les stars du cinéma, les membres des familles royales ou les politiciens. Le mobilier ancien s'accompagne d'un équipement moderne très sophistiqué. ❧ *15, pl. Vendôme, 75001 • plan E3 • 01 43 16 30 30 • www.ritz.com • €€€€€.*

10 Westminster
Cet hôtel luxueux, dans un ancien couvent du XVIIIᵉ s, doit son nom au duc de Westminster, ancien habitué des lieux. ❧ *13, rue de la Paix, 75002 • plan E3 • 01 42 61 57 46 • www.warwickwestminster opera.com • €€€€€.*

Mode d'emploi

Sauf indication contraire, les hôtels acceptent les cartes de paiement et les chambres disposent d'une salle de bains et sont climatisées.

Catégories de prix

Prix par nuit pour	€	moins de 100 €
une chambre double	€€	100 à 150 €
avec petit déjeuner	€€€	150 à 250 €
(s'il est inclus), taxes	€€€€	250 à 350 €
et service compris.	€€€€€	plus de 350 €

Gauche **Brighton** Droite **Hôtel du Panthéon**

Hôtels bien situés

Hôtel Édouard 7

Cet hôtel élégant de pur style haussmannien, au design éclectique, a beaucoup de charme. La plupart des chambres ont des balcons avec une vue extraordinaire sur l'Opéra Garnier *(p. 97)*. ✪ *39, av. de l'Opéra, 75002 • plan E3 • 01 42 61 56 90 • www.edouard7hotel.com • PAH • €€€€€.*

Brighton

Cette vénérable institution, totalement rénovée, est idéalement située sur la rue de Rivoli, à quelques minutes à pied de la Seine et du Louvre. Demandez une chambre avec vue sur les Tuileries *(p. 95)* ou sur la tour Eiffel *(p. 16-17)*. ✪ *218, rue de Rivoli, 75001 • plan K1 • 01 47 03 61 61 • www. paris-hotel-brighton.com • PC • PAH • €€€.*

Bristol

Les prix sont dignes du luxe offert et de l'emplacement à proximité des boutiques du faubourg Saint-Honoré et du palais de l'Élysée *(p. 104-105)*. Les chambres, spacieuses, dotées de somptueuses salles de bains, sont meublées de superbes objets anciens. L'hôtel dispose également de deux restaurants. ✪ *112, rue du Faubourg-Saint-Honoré, 75008 • plan D3 • 01 53 43 43 00 • www. lebristolparis.com • €€€€€.*

Hôtel du Jeu de Paume

Niché dans l'île Saint-Louis, l'hôtel est situé dans un bel immeuble ancien avec poutres. Les chambres sont petites, certaines donnent sur un jardin, mais l'atmosphère est chaleureuse. ✪ *54, rue St-Louis-en-l'Île, 75004 • plan Q5 • 01 43 26 14 18 • ferm. mi-juin-août • www. jeudepaumehotel.com • PC • PAH • €€€€.*

Hôtel des Deux-Îles

Offrez-vous le plaisir de loger sur l'île Saint-Louis, en plein cœur de Paris. Les chambres sont petites car l'immeuble date du XVIIIe s., mais la décoration est charmante et l'hôtel reste intime, avec seulement 17 chambres. Vous pourrez profiter d'un joli patio fleuri orné d'une fontaine. ✪ *59, rue St-Louis-en-l'Île, 75004 • plan Q5 • 01 43 26 13 35 • www.hoteldes deuxiles.com • PAH • €€.*

Hôtel d'Orsay

Les amateurs d'art apprécieront cet hôtel élégant, rénové et modernisé, situé juste à côté du musée d'Orsay *(p. 12-15)*. Ses couleurs éclatantes mettent en valeur les meubles anciens. Il y a également plusieurs suites très luxueuses. ✪ *93, rue de Lille, 75007 • plan J2 • 01 47 05 85 54 • www.paris-hotel-orsay.com • €€€.*

Hôtel du Panthéon

Ce petit hôtel familial se trouve dans un immeuble du XVIIIe s., face au Panthéon *(p. 28-29)*. ✪ *19, pl. du Panthéon, 75005 • plan N6 • 01 43 54 32 95 • www.hoteldupantheon. com • €€€.*

Pavillon de la Reine

C'est le meilleur hôtel du Marais *(p. 84-87)*, sur l'une des plus belles places de Paris. Les chambres sont ravissantes. Il y a un Spa et une cour très calme. ✪ *28, pl. des Vosges, 75003 • plan R3 • 01 40 29 19 19 • www. pavillon-de-la-reine.com • €€€€€.*

Hôtel de la Place du Louvre

La vue sur le Louvre *(p. 8-11)* est magnifique. Les chambres, rénovées, offrent un mélange subtil d'histoire et de modernité. ✪ *21, rue des Prêtres-St-Germain-l'Auxerrois, 75001 • plan M2 • 01 42 33 78 68 • www. paris-hotel-place-du-louvre. com • PAH • €€.*

Hôtel Castille

Cet hôtel somptueux et élégant est tout près de la place Vendôme. De plus, il abrite un restaurant italien réputé, L'Assagio. ✪ *33, rue Cambon, 75001 • plan E3 • 01 44 58 44 58 • www. castille.com • €€€€€.*

Gauche **Hôtel Favart** Centre **Hôtel Aviatic** Droite **Hôtel d'Aubusson**

TOP 10 Hôtels romantiques

1 Hôtel d'Aubusson
Situé dans un bel immeuble du XVIIe s., l'établissement propose des chambres spacieuses dont certaines ont des poutres apparentes. En hiver, un feu de bois réchauffe le salon. ◈ *33, rue Dauphine, 75006 • plan M4 • 01 43 29 43 43 • www.hoteldaubusson. com • €€€€.*

2 Hôtel Favart
Cet hôtel ancien possède des chambres modernes bien décorées. Celles du 1er étage avec poutres apparentes et vastes salles de bains sont à privilégier. ◈ *5, rue de Marivaux, 75002 • plan E3 • 01 42 97 59 83 • www.hotel-paris-favart.com • PC • €€€.*

3 Hôtel Aviatic
L'ambiance de cet hôtel chic est très « rive gauche ». Le personnel peut vous préparer un pique-nique à déguster au jardin du Luxembourg (p. 119). ◈ *105, rue de Vaugirard, 75006 • plan D6 • 01 53 63 25 50 • www. aviatic.fr • PAH • €€€.*

4 L'Hôtel
Cet établissement élégamment décoré par Jacques Garcia est doté d'un charme pittoresque. Il fut la dernière demeure d'Oscar Wilde et abrite un restaurant étoilé au *Michelin*. ◈ *13, rue des Beaux-Arts, 75006 • plan E4 • 01 44 41 99 00 • www.l-hotel.com • €€€€€.*

5 Hôtel Bellechasse
Les chambres très luxeuses ont été décorées par Christian Lacroix. L'hôtel est à quelques minutes de marche du musée d'Orsay. Le forfait spécial *Pour Une Nuit* propose la location de la chambre à partir de 15 h, avec champagne à l'arrivée et autres traitements de faveur. ◈ *8, rue de Bellechasse, 75007 • plan J2 • 01 45 50 22 31 • www.lebellechasse.com • PAH • €€€€.*

6 Five Hotel
Les 24 chambres de l'hôtel ont une ambiance scintillante grâce à l'éclairage par fibre optique. Le client choisit une couleur, du noir au rose prune, et une senteur parmi les cinq ambiances olfactives de la maison Esteban. Idéal pour une escapade en amoureux. ◈ *3, rue Flatters, 75005 • 01 43 31 74 21 • www.thefivehotel. com • €€.*

7 Hôtel Costes
Pour un séjour romantique, réservez une chambre au rez-de-chaussée, sur la cour. Mobilier sombre et lumière tamisée créent une atmosphère pleine de charme. La piscine de style oriental et le restaurant à la mode où se presse le tout-Paris font aussi partie des atouts de l'établissement.

◈ *239, rue St-Honoré, 75001 • plan E3 • 01 42 44 50 00 • www.hotelcostes. com • €€€€€.*

8 Le Relais Christine
Cet hôtel particulier du XVIIe s. avec Spa se trouve dans une ruelle tranquille de Saint-Germain. Préférez une chambre avec balcon sur le jardin intérieur. Le petit déjeuner se prend dans l'ancien réfectoire abbatial voûté, au charme désuet. ◈ *3, rue Christine, 75006 • plan M4 • 01 40 51 60 80 • www.relais-christine.com • PAH • €€€.*

9 Hôtel Hospes Lancaster
À quelques pas des Champs-Élysées, cet hôtel particulier du XIXe s. dispose de chambres immenses et confortables. La décoration mêle antiquités et art contemporain. ◈ *7, rue de Berri, 75008 • plan C3 • 01 40 76 40 76 • www.hotel-lancaster.fr • PAH • €€€€€.*

10 Hôtel Caron de Beaumarchais
Poutres apparentes, chandelles, feux de cheminée, décor authentique et lustres en cristal font revivre le XVIIIe s. romantique. Les chambres sont jolies, les clients y sont vraiment choyés. ◈ *12, rue Vieille-du-Temple, 75004 • plan R2 • 01 42 72 34 12 • www.carondebeau marchais.com • PAH • €€.*

Catégories de prix	
Prix par nuit pour une chambre double avec petit déjeuner (s'il est inclus), taxes et service compris.	€ moins de 100 €
	€€ 100 à 150 €
	€€€ 150 à 250 €
	€€€€ 250 à 350 €
	€€€€€ plus de 350 €

Gauche **Hôtel des Grandes Écoles** Droite **Hôtel Lenox Montparnasse**

TOP 10 Hôtels bon marché

1 Hôtel des Grandes Écoles

Dans l'un des plus jolis quartiers de Paris, les trois immeubles qui abritent cet hôtel de 51 chambres sont entourés d'un jardin. L'emplacement est idéal pour découvrir le Quartier latin et les chambres sont séduisantes. ✆ 75, rue du Cardinal-Lemoine, 75005 • plan P6 • 01 43 26 79 23 • www.hotel-grandes-ecoles.com • PC • €€.

2 Hôtel Lenox Montparnasse

Situé près du cimetière du Montparnasse (p. 152), cet hôtel propose des chambres correctes et bien équipées, mais certaines sont très petites ; précisez que vous souhaitez une grande chambre. Il y a une suite au dernier étage. ✆ 15, rue Delambre, 75014 • plan D6 • 01 43 35 34 50 • www.paris-hotel-lenox.com • PAH • €€€.

3 Hôtel Saint-André-des-Arts

Certains trouvent l'hôtel trop bas de gamme, d'autres sont emballés par son caractère unique et par sa situation au cœur de la rive gauche. Attention ! Les chambres sont minuscules. ✆ 66, rue St-André-des-Arts, 75006 • plan M4 • 01 43 26 96 16 • hsaintand@wanadoo.fr • PC • PAH • €.

4 Hôtel Amour

Nichée dans une rue tranquille, la façade discrète de cette ancienne maison close cache des chambres à la décoration unique, imaginée par des artistes contemporains. Ici, pas de room-service ni de minibar, mais des livres d'occasion et un baby-foot. Le restaurant dans la cour avec jardin sert une cuisine saine. ✆ 8, rue de Navarin, 75009 • plan F2 • 01 48 78 31 80 • www.hotelamourparis • €€€.

5 Grand Hôtel Lévêque

Cet hôtel est très apprécié de ceux qui recherchent une chambre bon marché à Paris. Ses 50 chambres sont climatisées et ont été rénovées avec goût. L'hôtel est proche de la tour Eiffel et dans une rue piétonne animée. ✆ 29, rue Cler, 75007 • plan C4 • 01 47 05 49 15 • www.hotel-leveque.com • PAH • €.

6 Hôtel de Lille

Cet hôtel central, à quelques minutes à pied du musée du Louvre, pratique des tarifs très bon marché. Les chambres sont sobres (certaines n'ont pas de salles de bains), propres et calmes. Pas d'ascenseur. ✆ 8, rue du Pélican, 75001 • plan M2 • 01 42 33 33 42 • pas de cartes de paiement • PC • PAH • €.

7 Caulaincourt Square Hôtel

L'établissement n'est pas luxueux mais l'ambiance est sympathique et c'est tout près de Montmartre. ✆ 2, square Caulaincourt, 75018 • plan E1 • 01 46 06 46 06 • www.caulaincourt.com • PC • PAH • €.

8 Hôtel du Commerce

Cet hôtel simple et propre propose des chambres basiques, certaines avec douche. On peut préparer sa cuisine dans un espace collectif. ✆ 14, rue de la Montagne-Sainte-Geneviève, 75005 • plan N5 • 01 43 54 89 69 • www.commerceparishotel.com • PC • €.

9 Hôtel du Globe

Dans un immeuble du XVIIe s. près du jardin du Luxembourg, cet hôtel de 15 chambres offre un service chaleureux. ✆ 15, rue des Quatre-Vents, 75006 • plan E6 • 01 43 26 35 50 • www.hotelduglobeparis.com • PC • €€.

10 Ermitage Hôtel

Cet agréable hôtel familial de Montmartre propose des chambres avec vue sur Paris ou sur un jardin. Les chambres ont un mobilier ancien. ✆ 24, rue Lamarck, 75018 • plan E1 • 01 42 64 79 22 • www.ermitagesacrecoeur.fr • pas de cartes de paiement • PC • PAH • €.

 Sauf indication contraire, les hôtels acceptent les cartes de paiement et les chambres disposent d'une salle de bains et sont climatisées.

Gauche **Hôtel de Seine** Droite **Hôtel de Banville**

10 Hôtels à prix moyens

1 La Régence Étoile Hôtel

Proche de l'Arc de Triomphe, cet hôtel est d'un excellent rapport qualité/prix. Les parties communes sont très élégantes et les chambres sont bien équipées (TV, téléphone, minibar et coffre-fort). ◈ 24, av. Carnot, 75017 • plan B2 • 01 58 05 42 42 • www. laregenceetoile.com • PAH • €€€.

2 Hôtel d'Angleterre

C'est ici que séjourna Hemingway à son arrivée à Paris. Les chambres standard sont petites et les plus grandes, légèrement plus chères, possèdent de hauts plafonds. Certaines sont décorées d'objets anciens. ◈ 44, rue Jacob, 75006 • plan N5 • 01 42 60 34 72 • www.hotel-dangleterre. com • PC • PAH • €€€.

3 Hôtel de l'Abbaye Saint-Germain

Ce couvent du XVIᵉ s. possède une cour intérieure pavée, dans une rue tranquille près de Saint-Sulpice (p. 41). Il est idéal pour découvrir la rive gauche et pour se reposer le soir venu. Les 44 chambres sont toutes différentes, mais celles du dernier étage ont vraiment de très belles vues. C'est un endroit charmant. ◈ 10, rue Cassette, 75006 • plan K5 • 01 45 44 38 11 • www.hotelabbayeparis. com • PAH • €€€€.

4 Hôtel de Seine

Situé près du jardin du Luxembourg, cet ancien hôtel particulier a conservé de belles boiseries. Certaines chambres ont un balcon. ◈ 52, rue de Seine, 75006 • plan L5 • 01 46 34 22 80 • www.hotel-de-seine.com • PC • PAH • €€€.

5 Hôtel Notre-Dame Maître Albert

Les chambres avec poutres et murs de pierre de cet hôtel, situé dans une petite rue face à Notre-Dame et à proximité du Quartier latin, sont confortables. ◈ 19, rue Maître-Albert, 75005 • plan N5 • 01 43 26 79 00 • www.hotel-charme-notredame.com • PAH • €€.

6 Hôtel Le Clos Médicis

Construit en 1773, cet ancien hôtel particulier mêle décoration moderne, poutres et gravures anciennes. Les chambres sont petites, mais l'hôtel possède un jardin et est situé dans une rue calme derrière le boulevard Saint-Michel. ◈ 56, rue Monsieur-le-Prince, 75006 • plan M5 • 01 43 29 10 80 • www.closmedicis.com • 1 chambre équipée pour handicapés • €€€.

7 Hôtel des Trois Poussins

Cet hôtel est à proximité de la ravissante place Saint-Georges, non loin de Pigalle. Les chambres sont petites, mais celles du dernier étage ont une très belle vue. ◈ 15, rue Clauzel, 75009 • plan E1 • 01 53 32 81 81 • www.les3poussins.com • PC • PAH • €€€.

8 Hôtel Saint-Merry

Cet hôtel est vraiment original avec son atmosphère historique étonnante. Les panneaux de lits sont sculptés et une chambre arbore même un bel arc-boutant. ◈ 78, rue de la Verrerie, 75004 • plan P2 • 01 42 78 14 15 • www.hotelmarais. com • PC • PAH • €€.

9 Hôtel Saint-Paul

Cet immeuble du XVIIᵉ s. est décoré de meubles anciens, et certaines chambres sont ornées de poutres et agrémentées de lits à baldaquin. Quelques-unes donnent sur la Sorbonne. ◈ 43, rue Monsieur-le-Prince, 75006 • plan M5 • 01 43 26 98 64 • www.hotelsaintpaulparis. com • €€€.

10 Hôtel de Banville

Ce merveilleux hôtel particulier de 1928 est un peu excentré mais d'une rare élégance avec ses nombreux meubles anciens. Plusieurs chambres possèdent un lit à baldaquin. ◈ 166, bd Berthier, 75017 • métro Porte-de-Clichy • 01 42 67 70 16 • www.hotelbanville.fr • PAH • €€€€.

Sauf indication contraire, les hôtels acceptent les cartes de crédit et toutes les chambres disposent d'une salle de bains et sont climatisées.

Gauche **Résidence Lord Byron** Droite **Hôtel Chopin**

Catégories de prix

Prix par nuit pour	€ moins de 100 €
une chambre double	€€ 100 à 150 €
avec petit déjeuner	€€€ 150 à 250 €
(s'il est inclus), taxes	€€€€ 250 à 350 €
et service compris.	€€€€€ plus de 350 €

🔟 Hôtels aux noms célèbres

1 Hôtel Esmeralda

La proximité de Notre-Dame est un bel atout pour cet hôtel qui offre quelques chambres avec vue sur la superbe cathédrale. Son ambiance est décontractée – la propriétaire est une artiste –, mais le quartier est bruyant et les chambres sont anciennes (toutes ont une salle de bains). ✆ *4, rue Saint-Julien-le-Pauvre, 75005 • plan P4 • 01 43 54 19 20 • www.hotel-esmeralda.fr • PC • PAH • €€.*

2 Résidence Lord Byron

Cet hôtel étonnamment abordable, à côté des Champs-Élysées, dispose d'un agréable jardin intérieur où le petit déjeuner est servi en été. Les chambres du dernier étage ont de belles vues. ✆ *5, rue Chateaubriand, 75008 • plan C2 • 01 43 59 89 98 • www.hotel-lordbyron.fr • PAH • €€.*

3 Balzac

Cet hôtel luxueux et très élégant abrite le restaurant de Pierre Gagnaire (3 étoiles au *Michelin*) et un bar, tous deux très à la mode. Ses 57 chambres et 13 appartements sont décorés sobrement. Les suites avec terrasse ont vue sur la tour Eiffel. ✆ *6, rue Balzac, 75008 • plan C2 • 01 44 35 18 00 • www.hotelbalzac.com • PAH • €€€€€.*

4 Hôtel Chopin

Niché dans un passage typiquement parisien *(p. 50)*, cet hôtel agréable existe depuis 1846. Les chambres sont confortables (celles du haut sont plus lumineuses). Certes, il est peu équipé mais bon marché. ✆ *46, passage Jouffroy (10, bd Montmartre), 75009 • plan F2 • 01 47 70 58 10 • www.hotelchopin.fr • PC • PAH • €.*

5 Hôtel Langlois

Cet établissement Belle Époque a ouvert ses portes en 1897. Il dispose de chambres à la décoration personnalisée. Il est à deux pas du musée Gustave-Moreau et de l'Opéra Garnier. ✆ *63, rue Saint-Lazarre, 75009 • plan E2 • 01 48 74 78 24 • www.hotel-langlois.com • PAH • €€.*

6 Hôtel Flaubert

Excentré mais proche du métro, cet hôtel a été bien aménagé par ses nouveaux propriétaires. Certaines chambres sont petites, mais il y a un beau jardin. L'hôtel est d'un bon rapport qualité/prix. ✆ *19, rue Rennequin, 75017 • plan C1 • 01 46 22 44 35 • www.hotelflaubert.com • €€.*

7 Hôtel Baudelaire-Opéra

Le célèbre poète Charles Baudelaire a résidé en 1854 dans cet hôtel proche de l'Opéra. Les chambres sont assez petites, mais elles ont été bien rénovées. ✆ *61, rue Sainte-Anne, 75002 • plan H4 • 01 42 97 50 62 • www.hotel-baudelaire-opera.com • PC • PAH • €€€.*

8 Hôtel Victor Hugo

Cet hôtel ancien possède quelques touches originales, telle une charrette à légumes qui accueille le buffet du petit déjeuner servi dans le jardin. Il bénéficie aussi d'une bonne situation. ✆ *19, rue Copernic, 75016 • plan B3 • 01 45 53 76 01 • www.victorhugohotel.com • PAH • €€€.*

9 Hôtel Galileo

À deux pas de l'Arc de Triomphe, l'hôtel est décoré avec raffinement et possède un joli jardin clos. Son atmosphère est paisible. ✆ *54, rue Galilée, 75008 • plan B2 • 01 47 20 66 06 • www.galileo-paris-hotel.com • PAH • €€€.*

10 Grand Hôtel Jeanne d'Arc

L'hôtel, situé dans le Marais et proche de nombreux musées, bénéficie d'un emplacement idéal pour visiter Paris. Les chambres sont propres et correctement équipées. ✆ *3, rue de Jarente, 75004 • métro Saint-Paul • 01 48 87 62 11 • www.hoteljeannedarc.com • PC • PAH • €€.*

Gauche **Hôtel Square** Centre **Hôtel du Quai Voltaire** Droite **Le Notre-Dame Saint-Michel**

TOP 10 Chambres avec vue

1 Hôtel Bourgogne et Montana

Un hôtel luxueux proche du musée d'Orsay (p. 12-15) et des Invalides. Les chambres du dernier étage ont vue sur la Seine. Les murs sont ornés de tableaux, les meubles sont modernes. ◎ *3, rue de Bourgogne, 75007* • *plan D4* • *01 45 51 20 22* • *www.bourgogne-montana. com* • *PAH* • *€€€.*

2 Artus Hôtel

Cet hôtel est tout aussi agréable que les boutiques du marché de la rue de Buci (p. 126) qui l'entourent. Il y a notamment une suite dotée d'un Jacuzzi qui offre une vue splendide sur le Quartier latin. ◎ *34, rue de Buci, 75006* • *plan L4* • *01 43 29 07 20* • *www.artushotel.com* • *PAH* • *€€€€.*

3 Hôtel Square

Cet hôtel de 22 chambres modernes et chaleureuses jouit de belles vues sur Paris. Le Zebra Square est un restaurant agréable. Spa de luxe. ◎ *3, rue de Boulainvilliers, 75016* • *plan A5* • *01 44 14 91 90* • *www.hotelsquare.com* • *€€€€€.*

4 Hôtel du Quai Voltaire

C'est depuis l'une de ses chambres que le peintre impressionniste Camille Pissarro (1830-1903) a peint *La Seine et le* *Louvre* (musée d'Orsay). Celles-ci sont petites, mais l'accueil est chaleureux et l'emplacement exceptionnel. ◎ *19, quai Voltaire, 75007* • *plan K2* • *01 42 61 50 91* • *www.quaivoltaire.fr* • *PC* • *PAH* • *€€.*

5 Hôtel des Grands Hommes

Dans une maison du XVIIIe s., cet hôtel de 32 chambres offre une vue imprenable sur le Panthéon (p. 28-29). Les chambres sont de taille correcte. ◎ *17, pl. du Panthéon, 75005* • *plan N6* • *01 46 34 19 60* • *www.hoteldesgrands hommes.com* • *PAH* • *€€€€.*

6 Terrass Hôtel

Situé à Montmartre, cet hôtel possède une terrasse sur le toit d'où les vues sur Paris sont magnifiques. La plupart des chambres de cet immeuble du début du XIXe s. sont climatisées ; toutes sont confortables. Un bar et un restaurant font partie des équipements. ◎ *12-14, rue Joseph-de-Maistre, 75018* • *plan E1* • *01 44 92 34 14* • *www.terrass-hotel.com* • *PAH* • *€€€€.*

7 Le Notre-Dame Saint-Michel

Les chambres, petites, ont été décorées par Christian Lacroix. L'hôtel est face à la Seine et les vues sur Notre-Dame sont magnifiques. L'hôtel possède également trois suites. ◎ *1, quai Saint-Michel, 75005* • *plan N4* • *01 43 54 20 43* • *www.hotelnotredame paris.com* • *PAH* • *€€€.*

8 Les Rives de Notre-Dame

Les vues sur Notre-Dame sont grandioses. La décoration est contemporaine et les dix chambres plutôt spacieuses. ◎ *15, quai Saint-Michel, 75005* • *plan N4* • *01 43 54 81 16* • *www.rivesdenotredame. com* • *PAH* • *€€€.*

9 Hôtel Régina

À l'angle de la rue de Rivoli et face au musée du Louvre (p. 8-11), cet hôtel ancien, splendide, avec vue sur les Tuileries et le Louvre, semble dater de l'Ancien Régime. ◎ *2, pl. des Pyramides, 75001* • *plan K1* • *01 42 60 31 10* • *www. regina-hotel.com* • *€€€€€.*

10 Radisson Blu Le Metropolitan

Cinq suites au dernier étage offrent une vue à couper le souffle sur la tour Eiffel. Celle depuis les balcons des chambres des étages inférieurs est belle mais moins spectaculaire. Les chambres sont bien équipées. ◎ *10, place de Mexico, 75016* • *plan A3* • *01 56 90 40 04* • *www. radissonblu.com* • *€€€€.*

Sauf indication contraire, les hôtels acceptent les cartes de paiement et toutes les chambres disposent d'une salle de bains et sont climatisées.

Catégories de prix

Prix par nuit pour	**€** moins de 100 €
une chambre double	**€€** 100 à 150 €
avec petit déjeuner	**€€€** 150 à 250 €
(s'il est inclus), taxes	**€€€€** 250 à 350 €
et service compris.	**€€€€€** plus de 350 €

Gauche **Relais Saint-Germain** Droite **Hôtel de Fleurie**

TOP10 Hôtels pour les familles

1 Hôtel Baltimore
Rattaché au groupe Accor, cet hôtel se trouve entre le Trocadéro et l'Arc de Triomphe. Il est très bien équipé et adapté aux familles. L'accueil est sympathique et les chambres sont élégantes. § *88 bis, av. Kléber, 75016 • plan B3 • 01 44 34 54 54 • www.accorhotels.com • PAH • €€€€€.*

2 Relais Saint-Germain
Un hôtel charmant installé dans un hôtel particulier du quartier de l'Odéon. À pied, le Louvre, le musée d'Orsay et Notre-Dame ne sont pas loin, et le jardin du Luxembourg, tout à côté, permet aux enfants de jouer à l'extérieur. § *9, carrefour de l'Odéon, 75006 • plan L4 • 01 43 29 12 05 • www.hotel-paris-relais-saint-germain.com • PC • PAH • €€€€.*

3 Relais du Louvre
Situé juste à côté du Louvre, cet excellent hôtel familial possède un appartement pour cinq personnes et plusieurs suites familiales disposant de chambres communicantes. Les jeunes enfants bénéficient de nombreux avantages. § *19, rue des Prêtres-Saint-Germain-l'Auxerrois, 75001 • plan M2 • 01 40 41 96 42 • www.relaisdulouvre.com • PAH • €€€.*

4 Hôtel de Fleurie
Les chambres de cet hôtel chic et animé de Saint-Germain sont bien équipées. Les enfants de plus de 12 ans peuvent partager la chambre de leurs parents (supplément) et les plus jeunes ne payent pas. Buffet copieux pour le petit déjeuner. § *32-34, rue Grégoire-de-Tours, 75006 • plan L4 • 01 53 73 70 00 • www.hoteldefleurie.fr • PAH • €€€.*

5 Méridien Montparnasse
On y trouve tous les équipements dignes d'une grande chaîne et les enfants sont pris en charge pendant le brunch du dimanche. § *19, rue du Commandant-Mouchotte, 75014 • plan D6 • 01 44 36 44 36 • www.lemeridien-montparnasse.com • €€€.*

6 Hôtel de l'Université
Cet hôtel particulier du XVIIe s. propose un tarif réduit pour les enfants qui partagent la chambre de leurs parents. Le mobilier et la décoration sont traditionnels. § *22, rue de l'Université, 75007 • plan K3 • 01 42 61 09 39 • www.hoteluniversite.com • PAH • €€€.*

7 Hôtel des Arts
Cet hôtel abordable dispose de chambres triples et de lits d'enfants. De plus, il se trouve dans un passage typiquement parisien (p. 50). § *7, cité Bergère (6, rue du Faubourg-Montmartre), 75009 • plan F2 • 01 42 46 73 30 • www.hoteldesarts.fr • PC • PAH • €.*

8 Hôtel Saint-Jacques
Cet hôtel confortable au cœur de la rive gauche propose des chambres bien équipées, avec salles de bains, trois lits et des lits d'enfants. § *35, rue des Écoles, 75005 • plan N5 • 01 44 07 45 45 • www.paris-hotel-stjacques.com • PC • PAH • €€.*

9 Hôtel-résidence Romance Malesherbes
Proche du parc Monceau et d'un marché, cette résidence propose plusieurs petits appartements avec un coin-cuisine, des lits d'enfants et des lits pliants. § *129, rue Cardinet, 75017 • plan D1 • 01 44 15 85 00 • www.hotel-romance.com • PC • PAH • €€€.*

10 Hôtel Ibis Bastille-Opéra
Au cœur du quartier de la Bastille, cet hôtel sans prétention propose des chambres triples ou doubles avec lits d'enfants. Prix réduits le week-end. § *15, rue Bréguet, 75011 • plan H5 • 01 49 29 20 20 • www.ibishotel.com • €€.*

Les enfants à Paris **p. 60-61**

Index

Index

Remerciements

Auteurs :
Journalistes, spécialistes du tourisme mais aussi des vins et de la gastronomie, Donna Wailey et Mike Gerrard ont écrit à eux deux plus de trente guides. Leur travail a été publié dans de nombreux journaux internationaux.

Produit par Book Creation Services Ltd, Londres.

Direction éditoriale : Zoë Ross.
Direction artistique : Alison Verity.
Maquettiste : Anne Fisher.
Iconographie : Monica Allende.
Lecteur : Stewart J Wild.
Index : Hilary Bird.

Collaboration éditoriale et artistique :
Kim Laidlaw Adrey, Claire Baranowski, Sonal Bhatt, Anna Brooke, Simon Davis, Nicola Erdpresser, Fay Franklin, Anna Freiberger, Rhiannon Furbear, Victoria Heyworth-Dunne, Conrad van Dyk, Paul Hines, Laura Jones, Louise Rogers Lalaurie, Maite Lantaron, Delphine Lawrance, Carly Madden, Nicola Malone, Sam Merrell, Jane Oliver-Jedrzejak, Helen Partington, Quadrum Solutions, Rada Radojicic, Tamiko Rex, Philippa Richmond, Ellen Root, Laura de Selincourt, Graham Tearse, Beatriz Waller, Sophie Warne, Dora Whitaker.

Collaboration d'appoint :
Rosa Jackson.

Photographe :
Peter Wilson.

Photographies d'appoint :
Kim Laidlaw Adrey, Max Alexander, Marta Bescos, Michael Crockett, Robert O'Dea, Britta Jaschinski, Oliver Knight, Neil Lukas, Eric Meacher, Rough Guides/James McConnachie, Tony Souter, Steven Wooster.

Illustration : Chris Orr & Associates.
Cartographie : Dominic Beddow, Simonetta Giori (Draughtsman Ltd).

CHEZ DORLING KINDERSLEY :
Direction éditoriale : Marcus Hardy.
Direction artistique :
Marisa Renzullo.
Cartographie : Casper Morris
Informatique éditoriale :
Jason Little.
Fabrication :
Joanna Bull, Marie Ingledew.
Direction éditorale : Kate Poole.
Direction générale :
Louise Bostock Lang.
Direction de la publication :
Gillian Allan.

Remerciements particuliers à Eurostar et Room Service pour leur aide précieuse.

Crédits photographiques :
b = en bas ; c = au centre ; d = à droite ; g = à gauche ; h = en haut.

Les œuvres d'art indiquées ci-après ont été reproduites avec les autorisations des détenteurs de droits suivants :

Illuminations de la tour Eiffel de Pierre Bideau 16-17 ; *Cour du Palais-Royal,* fontaines de Pol Bury © ADAGP, Paris et DACS, Londres 2011 96b ; *Espace Montmartre* de Salvador Dalí © Royaume d'Espagne, Fondation Gaia-Salvador Dalí, DACS, Londres 2006 140hc ; *Sculpture* de Salvador Dalí © Royaume d'Espagne, Fondation Gaia-Salvador Dalí, DACS, Londres 2011 144hg ; *Canapé bouche de* Salvador Dalí © Royaume d'Espagne, Fondation Gaia-Salvador Dalí, DACS, Londres 2011 37c ; *L'Écoute* d'Henri de Miller © ADAGP, Paris et DACS, Londres 2006 78hd ; *Fontaine Igor Stravinsky* de Niki de Saint Phalle et Jean Tinguely © ADAGP, Paris et DACS, Londres 2011 27hd, 39d, 74hg.

Remerciements

L'éditeur exprime sa reconnaissance aux particuliers, sociétés et bibliothèques qui ont autorisé la reproduction de leurs photographies :

AFP, LONDRES : 56hg, 56b.
AGENCE REPUBLIC : 168hc. AKG, LONDRES : 17hd, 20hg, 21hd, 29cd, 44hg, 44hd, 45h, 45c, 47c, 47b, 58b, 63h, 63b, 128hc, 135h, *La Joconde* de Léonard de Vinci 6ch, 11h, 34hg, *Le Radeau de la Méduse* de Théodore Géricault 9h, *Portrait* de Léonard de Vinci 11c, *Le Déjeuner sur l'herbe* de Manet 12b, *L'Impératrice Joséphine* de Pierre Paul Prud'hon 20hc, *Capture* d'Anton von Werner 23cd, *Verdun* de Vallotton 114b, Erich Lessing : 10h, 10b,107hg, *La Dentellière* de Vermeer 9c, *La chambre à Arles* de Van Gogh 12-13c, 36hg, *La Petite Danseuse de quatorze ans* de Degas 13hd, *Café des Hauteurs* de Toulouse-Lautrec 13cd, *Nymphéas bleus* de Monet 13b, *La Tristesse du Roi* de Matisse © Succession H. Matisse/DACS, Londres 2011. ALAMY IMAGES : Bildarchiv Monheim GmbH/Florian Monheim 3hg, 19c ; Chad Ehlers 135hd, Matthew Richardson 171hc. RESTAURANT ALCAZAR : 127hg. MAX ALEXANDER : 4-5 ; ANTOINE ET LILI : 88hd. ART ARCHIVE : *Intérieur de l'église du Panthéon* de Boilly, musée Carnavalet, Paris/ Dagli Orti 28-29c, *Danseuses bleues* de Degas, musée d'Orsay, Paris/Dagli Orti 14hg, *La Belle Angèle* de Gauguin 14hd, *La Cathédrale de Rouen* de Monet 15h, *Bal au Moulin de la Galette* de Renoir 15b, 144b, *Maréchal Ferdinand Foch* 111b. L'ATELIER DE JOEL ROBUCHON : Gerard Bedeau 65cd. L'ATELIER MAÎTRE ALBERT : Éric Brissaud 127hd. AVIATIC HOTEL : 174c.

HOTEL BANVILLE : 176hd. BARRIO LATINO : 92hg. BRIDGEMAN ART LIBRARY : 26-27c, 45b, 46hd, 47h, musée de l'Armée, Paris 114hd, Lauros-Giraudon 128, *L'Avènement*

de Louis XIII de Gianni 44b, Roger Viollet, Paris 114hg.

CAVEAU DE LA HUCHETTE : Gary Wiggins 62b. CHRISTOPHE CAZARRE : 165 hd. CINÉAQUA : 134hc. CORBIS : 33h.

A GAZZETTA : 93. GETTY IMAGES : *Portrait de Napoléon* de Jean-Pierre Franque (1774-1860), The Bridgeman Art Library/Giraudon/musée Marmottan-Claude Monet 29hd ; RONALD GRANT ARCHIVE : 59h, 59c, 59b.

HALLE SAINT-PIERRE : *Sans Titre* de Stavroula Feleggakis 145hg. HÔTEL D'AUBUSSON : 174hd.

LE JULES VERNE : Éric Laignel 64hc.

MAISON PRUNIER : 139hg. MUSÉE NATIONAL DE LA MODE ET DU TEXTILE : Diego Zitelli 94hd. MUSÉE DU QUAI-BRANLY : 112b.

PYLONES : 72hg.

LE RELAIS DU PARC : 139hc. LA ROSE DE FRANCE : 73hg.

SENDERENS : Roberto Frankenburg 99hg. LE SOUS-BOCK : Tarek Nini 79hc. STARWOOD HOTELS : 62hg.

TOPHAM PICTUREPOINT : 21b, 46h, 56hd, 57b, 144hc, 144b, 150cd, 154hg, 154hd, 162hg, J. Brinon/STR 107hd, Daniel Frasnay 63b.

COUVERTURE :

PREMIÈRE DE COUVERTURE : 4Corners Images : SIME/Giovanni Simeone (visuel principal) ; DK Images : Max Alexander cgb. DOS : DK Images : Robert O'Dea. QUATRIÈME DE COUVERTURE : DK Images cdh ; Max Alexander ch ; Eric Meacher cgh.

Toutes les autres illustrations : © Dorling Kindersley. Pour de plus amples informations : **www.dkimages.com**

Index des principales rues

Notes personnelles